De mãos dadas

CIP-BRASIL. CATALOGAÇÃO NA PUBLICAÇÃO
SINDICATO NACIONAL DOS EDITORES DE LIVROS, RJ

C794d

Coradazzi, Ana
De mãos dadas : o olhar da slow medicine para os pacientes oncológicos / Ana Coradazzi. - 1. ed. - São Paulo : MG, 2021.
200 p. ; 21 cm.

Inclui bibliografia
ISBN 978-65-87862-02-6

1. Oncologia. 2. Câncer - Pacientes - Cuidado e tratamento. 3. Medicina - Prática. 4. Câncer - Pacientes - Psicologia. 5. Câncer - Pacientes - Relações com a família. 6. Qualidade de vida. I. Título.

21-72347 CDD: 616.994
CDU: 616-006

Camila Donis Hartmann - Bibliotecária - CRB-7/6472

De mãos dadas

O olhar da *slow medicine* para o paciente oncológico

Ana Coradazzi

DE MÃOS DADAS
O olhar da slow medicine *para o paciente oncológico*

Editora executiva: **Soraia Bini Cury**
Capa: **Alberto Mateus**
Imagem da capa: **LukaM/Depositphotos, gentilmente cedida pela autora**
Projeto gráfico e diagramação: **Crayon Editorial**

Summus Editorial
Departamento editorial
Rua Itapicuru, 613 – 7º andar
05006-000 – São Paulo – SP
Fone: (11) 3872-3322
http://www.summus.com.br
e-mail: summus@summus.com.br

Atendimento ao consumidor
Summus Editorial
Fone: (11) 3865-9890

Vendas por atacado
Fone: (11) 3873-8638
e-mail: vendas@summus.com.br

Impresso no Brasil

Para minha amiga Maria Luíza
(in memoriam)

"A gente só precisa continuar a nadar."

Sumário

Prefácio 9
Prólogo 11

Estação 1 – A vida de cabeça para baixo 21
Estação 2 – Indo em frente 39
Estação 3 – Comprometimento 71
Estação 4 – Crise 91
Estação 5 – Recuperação e estabilidade 111
Estação 6 – Declínio 143
Estação 7 – Fase final de vida 161
Estação 8 – Morte 181

Epílogo 193
Notas bibliográficas 195

Prefácio

Conheci Ana Lucia Coradazzi de maneira pouco usual. Assim que lançamos o site Slow Medicine Brasil, em 12 de abril de 2016, recebi um e-mail de uma médica do interior paulista – mais precisamente de Jaú – que contava ser amiga da psicóloga Vera Anita Bifulco, ter gostado muito do site e se identificado profundamente com as propostas e o conteúdo. Ela então perguntou se poderia enviar-me seu livro, para apreciação. Coloquei-me à disposição, é claro.

Para mim, aquilo era incomum, pois, ao longo da vida, meu trabalho pautou-se por ser eminentemente assistencial. Alguns dias depois recebi o livro, no consultório, pelo correio. Chamava-se *No final do corredor*, e a capa mostrava a foto de uma jovem, com lenço cobrindo a cabeça, esboçando um sorriso triste. Era uma edição bastante simples. Passei os olhos no livro e o deixei na sala de espera, para que pudesse ser lido pelos pacientes. Um dia, ao sair do consultório, quando voltaria de ônibus para casa, resolvi levar o livro para folhear.

Ao ler o primeiro capítulo, fiquei espantado e fascinado com o que havia chegado às minhas mãos. Era um verdadeiro tesouro. Ana escrevia maravilhosamente bem, e o conteúdo dos capítulos era emocionante. Lágrimas vieram aos olhos junto com um aperto no peito, tamanha a sensibilidade com que ela descrevia seus casos clínicos. No dia seguinte, enviei um e-mail para Ana, elogiando o livro e perguntando se ela teria interesse em escrever para o site um texto sobre "uma oncologia sem pressa". Imediatamente Ana propôs-se a cumprir a tarefa, e o texto chegou alguns dias depois. *Slow oncology*: é provável que essa expressão tenha sido usada ali pela primeira vez.

Tenho agora em mãos os frutos daquela semente plantada alguns anos atrás. Este novo livro de Ana, *De mãos dadas*, se baseia no que ela vem aprendendo e praticando nos últimos anos, quando os princípios e a filosofia da *slow medicine* passaram a fazer parte de sua prática e permear todo o seu pensamento e a forma como cotidianamente exerce seu trabalho. O livro se embasa em uma das obras seminais da *slow medicine*: *My mother, your mother*, do geriatra americano Dennis McCullough. Ana não apenas cita extensa literatura de autores que defendem o ideário da medicina sem pressa, mas também evoca uma enorme gama de fontes literárias e científicas que têm ligação visceral com aqueles conceitos. O novo livro insere-se em um momento muito importante no desenvolvimento da *slow medicine* no Brasil. Trata-se de uma obra que, além de trazer à tona a ideia de uma oncologia *slow* – e portanto ponderada, sistêmica, ecológica –, inscreve-se na perspectiva de uma prática médica sóbria, respeitosa e justa e terá certamente papel fundamental na disseminação e capilarização dos princípios e da filosofia do movimento no Brasil. Foi escrita com base no olhar de uma oncologista e, pela própria formação da autora, agrega a perspectiva dos cuidados paliativos – com a qual a *slow medicine* tem claro entrelaçamento.

De mãos dadas é muito bem-vindo nesta época em que a medicina questiona suas próprias raízes. Uma visão mais humanista torna-se cada vez mais necessária ante o imperativo tecnológico que domina a medicina contemporânea. A presente obra certamente contribuirá para a reflexão tanto de profissionais de saúde como de leigos que se interessam pela questão, às vezes levados a ela por uma situação familiar ou pessoal.

É ainda o primeiro livro em língua portuguesa, escrito por autora brasileira, que fala sobre *slow medicine*. Esse fato já atesta sua enorme relevância e importância.

Obrigado, Ana!

José Carlos Velho
Médico geriatra e clínico geral
Membro do movimento Slow Medicine Brasil

Prólogo

A ideia que inspirou esta obra começou a se estruturar antes mesmo que eu tivesse concluído a leitura de um livro transformador, que veio parar em minhas mãos por insistência (quase obsessiva) de um querido amigo geriatra, o dr. José Carlos Velho. *My mother, your mother* ("Minha mãe, sua mãe"), do também geriatra Dennis McCullough, arrebatou meus pensamentos (e meu coração) já nos primeiros capítulos.

Médico de família e geriatra por mais de 30 anos, o dr. McCullough propõe um novo paradigma para o cuidado com os idosos, em especial os de idade muito avançada: um cuidado que prioriza a individualidade daquele que está envelhecendo e entende a participação ativa da família e dos amigos como ferramenta não apenas poderosa, mas essencial. Essa nova forma de cuidar, que McCullough aplicou ao processo específico de envelhecimento, foi batizada *slow medicine* – a qual, no Brasil, passamos a chamar *medicina sem pressa*. Como o próprio McCullough descreve na introdução de seu livro, a Itália foi o berço da moderna ideia de agir "sem pressa". Sendo um país caracteristicamente centrado nas relações familiares, muitas das quais celebradas e consolidadas ao redor de farta mesa de almoço ou jantar, a Itália concebeu o movimento *slow food* ("comida sem pressa") em resposta à invasão e aos excessos irracionais das cadeias de *fast food* americanas. O objetivo de Carlo Petrini, o fundador do movimento, era promover a boa comida, priorizando o consumo de alimentos de origem local, preparados e digeridos com prazer e tempo. Tratava-se, portanto, de atribuir a devida importância a uma experiência humana primordial, que afeta inúmeros outros aspectos da vida – da óbvia nutrição adequada às relações pessoais mais íntimas. A filosofia *slow* foi aos poucos inserida em outras áreas da existência humana, como a sexualidade, o trabalho e o próprio estilo de vida das grandes cidades. A medicina foi uma dessas áreas, e sem dúvida a *slow medicine* tornou-se muito mais que uma tendência, sendo considerada por muitos a medicina do futuro.

Os princípios *slow* foram adaptados por McCullough para beneficiar a população especial de idosos em idade mais avançada (que ele chamou *late-life elders*), aqueles que já não são capazes de se locomover nem de pensar depressa, nem de ver ou ouvir claramente. São pessoas para as quais os problemas e as soluções de saúde são mais complexos, as reservas de energia e a resiliência são menores e a recuperação toma mais tempo do que para nós, que ainda estamos vivenciando fases anteriores da vida. São idosos que precisam de outro tipo de estratégia. O objetivo essencial da medicina sem pressa é a mudança prática e qualitativa no cuidado, de tal forma que as relações entre profissionais da saúde, pacientes e familiares sejam regidas por um respeito mais abrangente e uma compreensão mais profunda das particularidades de cada pessoa. Isso cai como uma luva para as necessidades de determinadas populações, entre as quais, é claro, os idosos de McCullough.

Logo no prefácio de *My mother, your mother*, as conexões entre o processo de envelhecimento e o de adoecimento de pacientes com câncer avançado fizeram-se óbvias para mim. McCullough relata que foi influenciado por um filme japonês, *A balada de Narayama* (1983), no qual se conta a história de três gerações que, no século XIX, vivem em situação de extrema pobreza. Ao ficar debilitados a ponto de se tornar um fardo para a família, Os idosos da comunidade eram tradicionalmente carregados nas costas pelos filhos até o topo da montanha de Narayama, onde os deixavam com outros idosos frágeis para que morressem em paz, adormecendo na neve. A caminhada até o topo era extremamente penosa, tanto para o idoso quanto para o filho, castigando o corpo e desafiando as emoções. Mas era durante a subida que ambos consolidavam o vínculo de confiança e respeito que os unia, entre as pausas para descanso, os momentos de raiva e impaciência e as palavras de despedida.

Ao ler a descrição da escalada da montanha, não pude deixar de pensar nos caminhos tortuosos que tantos pacientes com câncer e suas famílias precisam enfrentar. Mesmo numa época de avanços inegáveis e quase milagrosos na oncologia, a verdade é que muitos, não importando o tratamento que recebam, ainda sucumbem à crueldade da doença. Muitos, ainda, precisam lidar com isso ao mesmo tempo que passam pelo processo fisiológico de envelhecimento, tornando o tratamento (e a vida) incrivelmente mais difíceis. É uma escalada dolorosa até o topo da montanha. Mais doloroso ainda é, no dia a dia, constatar quanto nós, médicos – munidos até os dentes com uma tecnologia que não tem utilidade para boa parte daquelas pessoas e surpreendentemente incapacitados para lidar com essas situações de forma mais coerente, harmoniosa e serena –, somos capazes de piorar sensivelmente tais caminhos.

Seu Fernando tinha 87 anos quando foi diagnosticado com carcinoma espinocelular de pulmão, com metástases no fígado e nos ossos. Até antão, apesar da idade avançada e dos muitos anos de tabagismo, tinha boa saúde, e sua vida era extremamente ativa. Dirigia o próprio carro, fazia compras no mercado, cuidava sozinho da casa desde a morte da mulher, quatro anos antes, e era apaixonado pelos três bisnetos. A doença, indiferente a tudo isso, lhe roubou boa parte das energias, e as dores já o impediam de cuidar sozinho de si mesmo.

Nos quatro meses desde o diagnóstico, seu Fernando tinha recebido vários ciclos de quimioterapia, com a proposta inicial de controlar os sintomas do câncer e lhe devolver, pelo menos em parte, a qualidade de vida. Infelizmente, as coisas não estavam indo bem. As metástases continuavam em progressão, os sintomas da doença só pioravam, e agora havia os efeitos colaterais da quimioterapia. Seu Fernando estava cansado. Não queria viver assim, mas não conseguia dizer isso ao médico nem aos filhos. Não queria que o vissem como um perdedor, alguém que desistia da luta logo nos primeiros obstáculos, ainda mais quando todos à volta estavam se esforçando tanto para que ele melhorasse. Foi por isso que, ao ter ouvido do oncologista que poderiam tentar uma segunda linha de quimioterapia, seu Fernando, mesmo com poucas chances de melhora, aceitou.

Foram mais dois meses difíceis. O novo esquema de quimioterapia lhe causava náuseas, dores pelo corpo e formigamento nos pés, dificultando a caminhada e resultando em quedas cada vez mais frequentes. Ele não conseguia se alimentar, perdia peso a olhos vistos e não sentia vontade nem mesmo de ver os bisnetos no fim de semana. Certa manhã, seu Fernando foi encontrado desacordado pela filha, que correu a chamar ambulância e o levou para a emergência. Uma tomografia mostrou inúmeros nódulos cerebrais, decorrentes do câncer de pulmão. Seu Fernando foi internado, medicado, e aos poucos recobrou parcialmente a consciência. Enxergava os filhos, mas já não era capaz de falar com eles, nem de se levantar sozinho. Precisava de uma sonda para se alimentar e de outra para urinar, e a cada três ou quatro dias sofria lavagem intestinal para controlar a constipação decorrente da imobilidade. Após dez dias, começou a ter febre e tosse, e o médico logo identificou uma pneumonia na base do pulmão direito. Iniciaram antibióticos, mas o quadro respiratório só piorava, até o ponto em que o médico julgou mais seguro levá-lo para a UTI. Em poucas horas, seu Fernando estava entubado, ligado a um respirador e precisando da administração contínua de drogas para manter a pressão arterial estável. Mais dois dias e os rins começaram a falhar. Quatro dias após a admissão na UTI, numa madrugada gelada, declarou-se o óbito de seu Fernando. Ele estava sozinho naquele momento.

São muitas as histórias de pacientes com câncer cujo desfecho foi grosseiramente atropelado por nossa *fast medicine* atual. Pessoas cuja situação clínica não tinha nenhuma possibilidade de ser revertida nem mesmo controlada, mas mesmo assim foram engolidas por tratamentos, intervenções e exames preconizados por protocolos-padrão que não tinham sido concebidos para elas. Essas situações tristes – e até trágicas – não decorrem de crueldade das equipes de saúde. Pelo contrário: médicos, enfermeiros e outros profissionais se desdobram todos os dias, trabalhando além dos limites físicos e emocionais, para cumprir os protocolos que acreditam ser o que há de melhor para cada paciente. O maior problema está em nossa capacidade extremamente limitada de reconhecer quando o paciente não será beneficiado pelos protocolos padronizados. Mais que isso: não temos protocolos-padrão para as pessoas que não se encaixam nos protocolos-padrão. É por isso que precisamos criá-los sob medida, como um alfaiate que costura o terno ainda no corpo do cliente. Precisamos ouvi-las, compreendê-las, permitir que aprofundem as relações familiares e nos ajudem a propor as estratégias que realmente lhes trarão benefícios. Precisamos de tempo.

Hoje, poucos de nós somos ingênuos a ponto de acreditar que ter tempo é apenas questão de organização pessoal. Em medicina, o tempo sempre foi um grande problema. Não se trata apenas da necessidade de tomarmos decisões em segundos para salvar a vida das pessoas, nem do volume (por vezes insano) de pacientes a atender num número restrito de horas. Falo da velocidade com que nosso tempo atual transcorre. Em oncologia, somos soterrados com uma quantidade inacreditável de novas drogas revolucionárias, exames cada vez mais precisos e estratégias de tratamento que nem sequer poderiam ser imaginadas pouquíssimos anos atrás. A avaliação criteriosa e crítica dos dados da literatura clínico-científica, corriqueira para os médicos de antigamente, é hoje privilégio dos poucos colegas que estruturaram a vida em torno disso. Na prática, mal conseguimos ler os resumos dos artigos. É assim que nos vemos, perplexos, sentados diante de um paciente único, para quem dispomos de 15 a 20 minutos para decidir o que será feito, baseados na literatura médica o mais atualizada possível (de preferência, no artigo que saiu hoje pela manhã). Paciente do qual, essencialmente, sabemos apenas o diagnóstico e o resultado dos exames de imagem, que mostram metástases por todos os lados. Poucos meses depois, quando esse mesmo paciente vier a morrer, teremos registrado em seu prontuário cada droga administrada, as doses e os efeitos colaterais, devidamente graduados. Mas poucos de nós terão ideia de que ele era, por exemplo, exímio cantor e apaixonado pelos livros de Isaac Asimov e havia trabalhado na Interpol. Como ele gostaria de ter vivido aqueles últimos meses? Não, não deu tempo de perguntar...

A questão é que não estamos falando de tempo apenas como algo que beneficiará os pacientes e suas famílias. Praticar a medicina de forma mais criteriosa, sóbria, respeitosa e justa traz benefícios inclusive para quem a exerce, elevando os níveis de satisfação profissional, bem-estar pessoal e autoestima. Minha visão de uma oncologia feita sem pressa não é um manifesto em louvor aos antigos médicos, que se mudavam para a casa dos pacientes e, incansáveis, faziam tudo o que podiam para proporcionar alívio com seus parcos recursos. Uma abordagem como essa, nos dias de hoje, não somente seria inviável, como também negligenciaria recursos importantes no cuidado. Falo de uma oncologia que fuja do modelo predominante, aquele em que *one size fits all* – ou seja, em que se aplica um único tipo de solução a casos e problemas muito diferentes entre si –, e ouse adotar estratégias individuais, em que cada paciente tem suas demandas e expectativas reconhecidas, recebe respostas coerentes com essas demandas e vê a família envolvida como parte ativa no processo de adoecimento. Seguindo os movimentos "sem pressa" que vêm se espalhando em tantas áreas da medicina, falo da oncologia em sua forma mais sensata e eficaz: a *slow oncology*.

Embora a prática da *slow oncology* possa ser benéfica em qualquer momento da história natural do câncer, há um grupo de pacientes em que os benefícios são decerto mais robustos: aqueles para os quais não há possibilidade de cura e cuja doença comprometerá seriamente a qualidade de vida. A importância da mudança de paradigmas no cuidado desses pacientes se torna ainda maior pelo fato de os progressos da medicina terem transformado o câncer (mesmo em fases muito avançadas) em doença crônica, com que os pacientes chegam a conviver por mais de uma década. Nesses casos, uma abordagem mais reflexiva e individualizada, que adote de forma parcimoniosa e sensata a tecnologia disponível, permite uma vida muito mais plena e compatível com os valores da pessoa doente, sem necessariamente comprometer o tempo de vida.

Num trabalho histórico, publicado no prestigioso *Journal of Clinical Oncology*, a dra. Marie Bakitas, paliativista americana, avaliou um grupo de 207 pacientes com câncer avançado e prognóstico estimado de seis a 24 meses de vida. A médica e sua equipe os dividiram em dois grupos: o primeiro seria encaminhado para acompanhamento com uma equipe de cuidados paliativos desde o diagnóstico; e o segundo, apenas 90 dias depois.[1] Ambos os grupos receberam os tratamentos convencionais contra o câncer, de acordo com as indicações de seus oncologistas e suas próprias opções pessoais. O que surpreendeu nos resultados do estudo foi que, embora não tivessem sido observadas diferenças significativas na qualidade de vida dos pacientes, o grupo que recebeu cuidados paliativos desde o diagnóstico teve tempo de vida significativamente maior que no outro grupo (63% dos pacientes no primeiro grupo estavam vivos após um ano, contra 48% no segundo).

Uma análise superficial desses dados levaria a concluir que os cuidados paliativos constituem tratamento eficaz para o câncer avançado. No entanto, sabemos que eles são não um tratamento, mas uma abordagem multiprofissional que prioriza controlar os sintomas, promover a qualidade de vida, individualizar o cuidado, envolver a família e respeitar a autonomia dos pacientes. Considerando isso, a conclusão pode ser perturbadora: quando minimizamos a importância de individualizar tratamentos, acabamos oferecendo estratégias desproporcionais que prejudicam o prognóstico. Em outras palavras, nossa *fast oncology* atual pode ser uma estratégia inadequada a ponto de, em alguns casos, comprometer o tempo de vida dos pacientes. Fazer mais não é necessariamente fazer melhor. Temos vivido décadas de evolução inacreditável na medicina, e a oncologia é uma das áreas cujo desenvolvimento se mostra mais rápido e impressionante. Somos capazes de curar grande número de pacientes que não teriam a menor chance se o diagnóstico de câncer tivesse acontecido há 20 anos. Compreendemos a doença em nível molecular, buscando nos complexos mecanismos genéticos as soluções para que as células tumorais tenham seu crescimento inviabilizado. E, acreditem, podemos dizer que somos muito bons quando a cura é possível, do mesmo modo que somos excelentes em lidar com situações críticas reversíveis, como infecções graves ou descompensações orgânicas agudas. A ironia é que, em nosso caminho rumo à cura do câncer, vamos deixando à margem um número significativo de pessoas para as quais nossas estratégias – quase sempre baseadas em medicamentos e procedimentos – são em geral ineficazes ou mesmo prejudiciais. Em nossa oncologia focada na doença, é incrivelmente fácil subestimarmos a pessoa.

No entanto, o aspecto mais cruel de nossa prática atual está na incapacidade de lidarmos com expectativas e prioridades. Na corrida para prolongarmos a vida dos pacientes com câncer, oferecendo a tecnologia de forma indiscriminada e até insensata, obrigamos essas pessoas a despender enorme quantidade de energia, tempo e dinheiro para que os tratamentos sejam realizados, sem que elas de fato compreendam para onde estão caminhando. Num paralelo com a montanha de Narayama, prometemos um caminho mais longo até o topo – o que nos parece obviamente desejável –, mas muitas vezes nos esquecemos de perguntar se estão mesmo dispostas a ser carregadas nas costas durante um tempo maior. Esquecemos como a escalada até aquele topo é por vezes penosa.

É esse o ponto no qual vejo a filosofia *slow* como caminho perfeitamente cabível em oncologia. Trata-se de promover o comprometimento profundo das famílias e dos profissionais da saúde em torno da melhor compreensão possível dos valores, prioridades e objetivos da pessoa com câncer, tornando sua jornada a mais produtiva e feliz possível. A *slow oncology* não se limita a oferecer boas estratégias para a cura ou o controle do câncer. Ela busca transformar o adoecimento num caminho que valha a pena percorrer e, se possível, prolongar. A forma de fazer isso implica a atenção contínua a todas as dimensões do paciente, inclusive às que extrapolem o corpo físico. Estamos falando de um cuidado que não subestime aspectos corriqueiros do bem-estar, como a nutrição, a higiene, o apoio emocional, a preservação da autonomia, a sexualidade, as relações interpessoais. Em outras palavras, um cuidado que permita que a pessoa vivencie a doença sem deixar de ser quem é.

O adoecimento por câncer, em especial nas fases mais avançadas, exige bem mais que tratamentos médicos. É um tempo em que o paciente e a família precisam mudar muitos de seus paradigmas para que possam viver bem. Não se trata apenas de se preparar para o fim, até porque nenhum de nós é capaz de prever em que momento ele acontecerá. A questão é: como viver de forma plena e feliz apesar do câncer? A resposta, com certeza, não se restringe a medicamentos e intervenções.

Em seus idosos com idade mais avançada, McCullough identificou oito estações distintas que a maioria dos pacientes tinha percorrido durante o processo de envelhecimento. Em cada uma dessas estações, o médico registrou as principais necessidades dos idosos e de seus familiares, descrevendo os aspectos mais importantes em que todos os envolvidos no processo podem fazer diferença. O que perguntar? Como falar sobre determinado assunto? Como identificar precocemente um problema? Como agir em prol de uma vida melhor? Ao ler seu livro, vieram-me à mente as estações pelas quais meus próprios pacientes – portadores de câncer – costumam passar, bem como as principais dificuldades que enfrentam. Algumas quase se superpõem às estações do envelhecimento de McCullough. No entanto, o fato de lidarmos com pacientes de todas as faixas etárias que estão convivendo com uma doença em geral cruel e complexa acaba por nos levar a caminhos diferentes daqueles descritos em *My mother, your mother*. São os caminhos que procurei descrever neste livro, mostrando como a adoção de uma estratégia *slow* pode ter impacto surpreendente na vida daquelas pessoas. Minha intenção é, essencialmente, ajudar pacientes com câncer e suas famílias a promover um cuidado mais adequado, tornando sua jornada mais valiosa, significativa, sensata e serena.

Os dez princípios da *slow medicine*

Em 2014, o movimento Slow Medicine da Holanda construiu dez princípios que norteiam a prática da filosofia *slow* na assistência médica.

1. **Tempo.** Tempo para ouvir, para entender, para refletir. Tempo para consultar e tomar decisões. A tomada de decisões melhora quando os médicos dedicam tempo e atenção ao paciente.
2. **Individualização.** Cuidado particularizado, justo, apropriado. A individualidade em lugar da generalidade. O paciente deve ser o foco da atenção, sendo seu ponto de vista e seus valores fundamentais.
3. **Autonomia e autocuidado.** Decisões compartilhadas. A chave da questão são os valores, expectativas e preferências do paciente. Nela estão envolvidos o ambiente de cuidados do paciente, sua família, vizinhos, amigos e outras fontes de apoio.
4. **Conceito positivo de saúde.** Nesse conceito de saúde, que transcende o antigo definido pela Organização Mundial da Saúde ("um estado de

completo bem-estar físico, mental e social e não somente ausência de afecções e enfermidades"), o foco está no autocuidado e na resiliência, com ênfase na saúde e não na doença. Assim, abrange os cuidados de saúde, a prevenção de doenças e a manutenção da qualidade e da acessibilidade dos cuidados.

5. **Prevenção.** Alimentação saudável é a prescrição básica para uma vida saudável. Atividade física regular, pensamento positivo e flexibilidade mental são essenciais para manter nosso cérebro saudável.
6. **Qualidade de vida.** Fazer mais nem sempre significa fazer melhor. Mais que na quantidade, deve-se investir na qualidade, na aceitação do inevitável. É preciso sempre levar em conta a arte médica de não intervir – a sabedoria da observação clínica.
7. **Medicina integrativa.** O melhor de dois mundos: medicina tradicional sempre que indicada e medicina complementar se possível, preferencialmente baseada em evidências. Segurança em primeiro lugar, eficácia quando possível. Sem metáforas de luta ou guerra contra a doença. As palavras de ordem são recuperação, equilíbrio, harmonia.
8. **Segurança em primeiro lugar.** A equipe de saúde precisa ter em mente o juramento de Hipócrates – *Primum non nocere et in dubio abstine.* Em primeiro lugar, não causar o mal; na dúvida, abster-se de intervir.
9. **Paixão e compaixão.** Resgatar a paixão pelo cuidar e o sentimento da compaixão na atenção médica. Buscar incansavelmente a humanização dos cuidados à saúde .
10. **Uso parcimonioso da tecnologia.** As novas tecnologias devem cumprir seus objetivos de auxiliar a pessoa no autocuidado e ajudar o médico a tomar as melhores decisões para seu paciente, as quais visam sobretudo melhorar sua qualidade de vida.

Estação 1 – A vida de cabeça para baixo

Não acredito que isso está acontecendo com ela.
P. F., amiga

Quando Luísa percebeu um pequeno caroço por dentro da bochecha direita, do tamanho de uma semente de maçã, imaginou que era mais uma afta que a atormentaria durante alguns dias e não deu muita atenção. Mas os dias se passaram e o caroço continuava confortavelmente instalado na boca, sem a dor que teria sido de esperar de uma afta comum e sem a melhora espontânea que deveria ter ocorrido em pouco tempo. "Acho que vou ter que ver o que é isso", pensou.

Mas uma viagem, marcada havia meses, adiou a ida ao médico em várias semanas. Na volta, o acúmulo de trabalho postergou a consulta em mais alguns dias. O dia da consulta enfim chegou, e o médico julgou, apenas por excesso de zelo, que seria prudente fazer uma biópsia do caroço persistente, agora já um pouco maior. Assim foi feito.

Uma semana depois, Luísa se lembrou de acessar o resultado do exame, pois tinha retorno com o médico no dia seguinte. Ela estava trabalhando, entre um atendimento comercial e outro, e aproveitou um intervalo para ver o resultado no computador. O "pequeno intervalo", no entanto, transformou-se num daqueles momentos em que o tempo parece ter-se congelado. Luísa precisou ler e reler o laudo algumas – muitas – vezes para conseguir assimilar o que estava escrito. O texto, embora tão claro e legível, parecia não fazer sentido para ela. As letras se embaralhavam, dançavam na frente dos olhos, e ela fez um esforço fora do comum para compreender o significado: "carcinoma espinocelular". Era isso. Luísa estava com câncer.

Os minutos, em geral tão curtos, transformaram-se de repente em horas. A boca ficou seca, o coração não se continha dentro do peito, e veio aquela sensação terrível de que um alçapão tinha sido aberto debaixo de seus pés. Respirou fundo, buscando retomar o controle da situação. Tomou um gole de água e decidiu continuar a trabalhar. Resolveria aquilo depois. Mas, por mais que tentasse, seus pensamentos não saíam daquele maldito laudo da biópsia. Ela não conseguia dar atenção às pessoas a sua frente. Ouvia o que diziam, mas as palavras chegavam distorcidas aos ouvidos. Sentia as batidas do coração, que acelerava o ritmo e depois reduzia, e a cabeça parecia girar sem rumo. Com imenso esforço, Luísa conseguiu terminar mais aquele atendimento. Pediu que a secretária dispensasse os outros agendamentos da tarde, explicando que precisaria resolver um assunto pessoal. Ainda um pouco zonza, pegou a bolsa e desceu de elevador para o térreo, sem muita certeza de aonde deveria ir.

Já sentada em frente ao prédio, com as mãos suadas e o coração descompassado, pegou o celular e ficou olhando para a agenda de contatos, como se não tivesse ideia do que fazer. Passou-se um bom tempo até que Luísa conseguisse localizar o nome de Paulinha, a amiga que estava sempre a seu lado, para qualquer situação. Ao atender, Paulinha mal reconheceu a voz de Luísa, tão tensa, quase trêmula:

"Amiga, preciso falar com você. É sério."

Más notícias são recebidas das mais diversas formas. Podem chegar como onda gigante, que se forma de repente sobre nós, causando súbita sensação de afogamento e nos deixando atordoados por tempo considerável. Podem vir de mansinho, contadas em prestações, com estratégias do tipo "Sabe, mãe, acho que tem alguma coisa errada com esse carocinho no seu seio..." Também podem ser apenas a constatação de uma suspeita, quando já tínhamos dentro de nós a certeza de que algo muito errado estava acontecendo, e o diagnóstico – mesmo de câncer – não é surpresa. A má notícia pode até ser boa notícia, como para a paciente que, ao ouvir que tinha câncer de pulmão avançado, suspirou aliviada:

"Graças a Deus que é câncer, doutor... Achei que estava com aids..."

Qualquer que seja o caminho pelo qual um diagnóstico de câncer nos chegue aos ouvidos, seu impacto dificilmente será algo que consigamos ignorar. Desde crianças escutamos coisas terríveis sobre "aquela doença". Vemos pessoas morrerem por causa dela, tão magras e fracas que mal conseguem se sustentar nas próprias pernas. Ouvimos o vizinho, aquele que tem "câncer terminal", gritar de dor toda vez que precisam mobilizá-lo na cama. Vemos a mãe de um amigo, de lenço na cabeça para proteger o couro cabeludo lisinho, e pensamos conosco que jamais suportaríamos perder o cabelo. Assistimos à dor de filhos que perdem os pais, de pais que perdem os filhos, de irmãos e amigos em luto, de famílias dilaceradas pelo sofrimento associado à doença. Consternados, pensamos quanta sorte temos de não passar por esse tipo de situação... A própria palavra *câncer* nos assusta. O medo da doença já vem incrustado em nosso DNA.

Não é difícil, portanto, imaginar quanto sofrimento a notícia de um diagnóstico de câncer pode causar. Dependendo da fase da vida em que ele acontece (e das experiências prévias que temos na mente), talvez seja algo devastador. As memórias de pacientes sobre o momento em que receberam as más notícias costumam ser permeadas de sensações angustiantes. Desespero. Solidão. Pânico. Desamparo. Os sintomas físicos, associados às poderosas descargas de adrenalina do nosso corpo em resposta à sensação de perigo iminente, são também frequentes: taquicardia, sudorese fria, tremores, tonturas, diarreia, hipotensão.

Da mesma forma, não é fácil receber a notícia de que a esposa, o irmão ou o amigo está com câncer. O medo na voz ou no olhar da pessoa tão querida, que dá a notícia ao mesmo tempo que pede ajuda, é algo incrivelmente difícil de lidar. Tão difícil que as reações iniciais costumam ser inadequadas e até bizarras:

"Mas você tem certeza? Não podem ter trocado o exame?"

"Fica tranquila, deve ser um câncer benigno... Você está tão bem!"

"Imagina! Que absurdo! Esse seu médico é bom mesmo? Melhor procurarmos outra opinião..."

Por mais esdrúxulas que sejam, essas reações escondem um medo legítimo, uma antevisão do sofrimento que o outro vai enfrentar e que gostaríamos de arrancar do caminho dele quanto antes. São reações de afeto e de instinto protetor e, por isso mesmo, válidas e bem-vindas, ainda que inadequadas. Vale, porém, ressaltar que elas podem aumentar a dor da pessoa doente. Ao ver o cônjuge, o irmão ou o amigo chutar para bem longe a possibilidade de um câncer, fica ainda mais claro para a pessoa com câncer o sofrimento que o diagnóstico causará a todos ao redor. A sensação de solidão e desamparo pode se tornar tão densa que fica difícil até explicar que "Não, não tem como a biópsia estar errada"; "Sim, é maligno"; ou "Querido, o médico é um dos melhores na área". Às vezes, não sobra espaço para mais nada.

Embora seja pouco provável que algum de nós consiga prever a própria reação ao ouvir de uma pessoa querida que ela está com câncer, é sempre útil conhecer a experiência de quem conseguiu passar por isso de modo menos traumático. Muitos pacientes relatam como foi reconfortante quando um amigo, ao saber da notícia, apenas pegou em suas mãos, lhes deu um abraço ou chorou com eles. Simples assim, sem arriscar explicações improváveis, sem fugir do momento difícil, sem disfarçar o medo ou a dor. O alívio também pode vir por telefone ou, até, por mensagem no celular: "Onde você está? Estou indo aí agora". Seja qual for o momento ou a via pela qual a notícia do câncer de alguém querido chegar até você, sua tarefa é clara: esteja presente. Inteiro e incondicionalmente.

"ELA NÃO PODE SABER"

Não há segredos que o tempo não revele.
Racine

As dores nas costas de Ana Maria já a acompanhavam fazia alguns anos, mas vinham se intensificando nos últimos meses. Ela não conseguia permanecer mais que dez minutos em pé para cozinhar, nem realizar tarefas simples, como arrumar a cama. Quando ouviu do médico que era apenas uma artrose bastante avançada, ficou desconfiada. A mãe, mesmo com artrose muito grave na coluna e nos joelhos, conseguia levar uma vida quase normal. Ao conversar com a filha, Janice, que a tinha acompanhado na consulta, Ana Maria sentiu-se mais aliviada. A filha, dentista, confirmou tudo o que o médico tinha lhe dito. Mostrou resultados de exames, inclusive da mamografia, em que se via um nódulo na mama esquerda. Esse nódulo, contudo, a biópsia teria confirmado ser benigno.

Ana Maria não tinha ideia de que a filha havia conversado com o médico dois dias antes. Janice tinha sido informada de que se tratava de câncer de mama já com metástases ósseas por todo o corpo. Janice não conseguia imaginar a mãe lidando com uma doença tão cruel. Conversou com o irmão e o marido, e os três resolveram que Ana Maria não precisaria saber do diagnóstico. Ela não suportaria e acabaria se entregando. Foi o argumento que utilizaram para convencer o médico a não revelar o diagnóstico para a paciente naquela consulta. Era para o bem dela.

Quando Ana Maria perguntou o motivo de precisar se consultar com um oncologista, Janice explicou que era por prevenção, pois hoje existiam medicações novas que conseguiam impedir o surgimento do câncer. Até mesmo a radioterapia na coluna podia ser usada para melhorar a artrose. O oncologista, respeitando a vontade da família, tampouco revelou a verdade, sustentando a história criada por compaixão. Os meses se passaram, e Ana Maria sentiu-se melhor durante algum tempo, com bom controle das dores. Mas a evolução da doença era inexorável, e a paciente começou a piorar. Os remédios, embora tivessem sido modificados, pareciam não surtir efeito nenhum. Quando o médico falou em quimioterapia, ela já não acreditava em ninguém, nem mesmo nos filhos. Algo estava muito errado ali. Não queria conversar com ninguém, não tinha vontade de sair de casa nem de se alimentar. A despeito de todos os esforços da família, Ana Maria tinha "se entregado". Não por desconfiar do diagnóstico, mas por desconfiar das pessoas. Confiar em quem?

Às vezes, o oncologista recebe a notícia antes do futuro paciente. Quanto mais avançada a doença (e mais debilitado o doente), maiores as chances de isso acontecer. Em nossos consultórios, é surpreendentemente comum que, antes da primeira consulta de um paciente, o médico receba um bilhetinho da secretária, dizendo algo como "Família pediu para não contar o diagnóstico". Em alguns casos, os filhos ou cônjuges marcam um horário dias antes da consulta da pessoa doente, para ouvir do médico as possibilidades de tratamento e explicar os motivos pelos quais a pessoa não pode ser informada do diagnóstico. "Ela tem depressão há muitos anos, vai se entregar se souber." "Ele nem imagina o que é câncer, doutor. Melhor deixá-lo sem saber." "Perdeu a mãe por causa de um câncer, é capaz de se matar se souber que também tem." São várias as justificativas para não informar ao paciente o diagnóstico de câncer e sua gravidade, mas todas têm em comum a tentativa da família de proteger o ente querido do sofrimento. Trata-se de um objetivo nobre, mas para isso não é bom caminho erguer um muro na comunicação entre os envolvidos.

Exceto em casos de transtorno psiquiátrico grave ou em pacientes com déficit significativo de compreensão, ter acesso ao diagnóstico e às opções disponíveis de tratamento possibilita que o indivíduo desenvolva ferramentas (físicas e emocionais) para lidar com o problema. Além disso, impede que ele imagine uma situação fantasiosa e até mais assustadora que a realidade. Não são poucos os casos em que as pessoas revelaram alívio ao saber de suas possibilidades reais, pois estavam vislumbrando a própria morte já para os dias seguintes. Qualquer notícia é melhor que notícia nenhuma.

O médico escocês Derek Doyle, em seu encantador livro *Bilhete de plataforma*[2], fala sobre o terror que aquilo que desconhecemos pode causar. Ele descreve a história de um ex-fuzileiro naval britânico, diagnosticado com câncer, que era um dos homens mais corajosos que o autor já tinha conhecido.

Essa pessoa havia lutado em conflitos assustadores, visto a morte de perto, vivenciado o sofrimento e o desespero. Na narrativa da pior noite da sua vida, contou que estava na selva, no Sudeste Asiático, combatendo guerrilheiros. A noite estava escura como breu, e ele e seus companheiros tinham sanguessugas pregadas por todo o corpo e apenas um pensamento: em algum lugar daquelas matas, estava um bando de matadores sanguinários, que conheciam a selva como a palma da mão e podiam a qualquer momento emergir da lama ou saltar das árvores sobre eles, dizimando a todos. Cada ruído, cada movimento, cada galho estalando sob os pés os mantinha apavorados, em alerta constante, convencidos de que estavam cercados por no mínimo 20 ou 30 guerrilheiros. Nem por um minuto os dedos do fuzileiro tinham se desgrudado do gatilho. Lembrava-se daquela noite como a mais longa da sua vida, cheia de terror do começo ao fim, porque não conseguia ver e não sabia nada sobre o inimigo. Quando amanheceu e o sol enfim começou a penetrar a copa das árvores, descobriram que o bando de combatentes nunca tinha estado por perto. Havia se retirado no dia anterior. Os fuzileiros tinham passado a noite toda a sós com seu medo. "É o desconhecido o que nos aterroriza." A ignorância é solo fértil para o medo.

Além disso, nossas perspectivas futuras podem ser drasticamente modificadas pelas informações de que dispomos. A psicóloga americana Laura Carstensen, da Universidade Stanford, desenvolveu todo o seu trabalho em torno do que denominou *teoria da seletividade socioemocional.* Segundo ela, a maneira como buscamos usar nosso tempo depende da percepção que temos de quanto dele nos resta. Num de seus muitos estudos, Laura recrutou voluntários com idade entre 23 e 66 anos, saudáveis ou acometidos de doenças terminais, e lhes ofereceu uma espécie de baralho em que havia descrições de pessoas com as quais eles tinham diferentes graus de envolvimento emocional (familiares, amigos próximos, colegas de trabalho, celebridades). Pediu então que os voluntários organizassem as cartas do baralho por prioridade, posicionando primeiro aqueles com quem mais gostariam de passar 30 minutos. De maneira geral, quanto mais jovem o voluntário, menor o valor dado a pessoas com as quais havia forte vínculo afetivo. Os mais novos tendiam a priorizar o tempo com pessoas que representassem possível fonte de informações ou experiências valiosas (Steve Jobs, por exemplo), e os mais idosos consideravam mais importante passar seu tempo com familiares próximos e amigos queridos. Quando se avaliavam apenas os voluntários portadores de doenças terminais, essas diferenças relacionadas à idade desapareciam quase por completo: também os mais jovens valorizavam mais o tempo na companhia das pessoas com quem tinham vínculo afetivo mais forte. Os estudos de Laura Carstensen corroboram o que vemos na prática: a perspectiva importa (muito) na tomada de decisões[3,4].

Pacientes que não têm noção clara do que podem esperar tendem a tomar decisões pouco compatíveis com sua realidade e se distanciam de seus objetivos. O romancista alemão Thomas Mann escreveu que, com o passar do tempo, é melhor uma verdade dolorosa que uma mentira útil. Nada mais compatível com a realidade de quem precisará conviver com uma doença grave como o câncer. Em geral, a tristeza dos primeiros dias após o diagnóstico acaba dando lugar a uma atitude mais participativa, mais proativa, até mais otimista. Além disso, a comunicação fluida e sincera fortalece os vínculos de afeto e confiança entre todos os envolvidos, conferindo uma sensação de proteção muito mais eficaz que a atitude de não revelar a verdade. Assim, mesmo os pacientes que lidam de forma mais pessimista com o diagnóstico apresentam menos angústias e menos estresse.

Isso não significa que o diagnóstico, o tratamento e o prognóstico precisem ser informados logo na primeira consulta com o oncologista, nem muito menos que o sejam de forma estritamente técnica e complexa. Quase sempre é possível conversar aos poucos com o paciente, compreender seus limites e seu real desejo de ser ou não informado sobre a situação. Podemos marcar outra consulta para alguns dias depois, permitindo-lhe um tempo para "digerir" as informações dadas e só então avançar mais um pouco. É o que às vezes chamamos de "verdade em doses homeopáticas", revelando o que o paciente precisa saber de acordo com sua capacidade de assimilar as informações, sem atropelá-lo, desrespeitá-lo ou agredi-lo com nossas palavras.

A família pode – e deve – participar ativamente desse processo, reforçando junto ao doente o que foi dito durante a consulta, ajudando-o a compreender o que está acontecendo e, sobretudo, evitando a armadilha de assegurar que "não deve ser nada grave, logo você estará ótimo". Embora esse seja o primeiro impulso que nos vem à mente, frases assim são um retrocesso no desenvolvimento da compreensão que a pessoa tem sobre a doença. É importante validar seu medo e sua apreensão naquele momento. São sentimentos genuínos e úteis, que a levam a fazer novos questionamentos, tomar decisões e assumir atitudes.

Seu Mariano e o filho mais velho estiveram em consulta com o oncologista e receberam a informação de que as dores que seu Mariano vinha sentindo na bacia estavam possivelmente relacionadas a um tumor na próstata. Aguardariam os resultados de alguns exames para confirmar. Seu Mariano ficou muito preocupado: não quis jantar, dormiu pouco e passou quase o dia seguinte todo sentado no sofá, o olhar meio perdido. Nem mesmo ao jogo de cartas na casa dos amigos de longos anos ele tinha ido. Estava sentado na sala quando o filho chegou.

"Como você está, pai?"

"Mais ou menos. A dor melhorou com o remédio que o médico receitou, mas achei que ele ficou preocupado com os meus exames."

"Também achei, pai, mas vamos esperar alguns dias para saber exatamente do que se trata."

Silêncio.

"Filho, ele falou de tumor na próstata. Você acha que é grave?"

"Pode ser, pai. Por isso o médico quer esperar o resultado dos exames. Do que você está com medo?"

Seu Mariano suspirou.

"Tenho medo de que seja câncer, filho. Esse negócio de ter umas manchas nos meus ossos, essa dor que não melhora... Você acha que é câncer?"

"Não sei, pai. Talvez. Mas, o que quer que seja, vamos passar por isso juntos. Vamos conversar com o médico e entender quais são as nossas opções. Vamos fazer o que for melhor para você."

O rosto já menos tenso, seu Mariano olhou fixamente para o filho:

"É bom ter você do meu lado, filho. Tem razão. Vamos esperar os exames e seja o que Deus quiser."

Num abraço longo e apertado, seu Mariano e o filho selaram sua parceria. Viesse o que viesse.

QUANDO O MÉDICO NÃO COLABORA

Na paz, preparar-se para a guerra. Na guerra, preparar-se para a paz.
Sun Tzu

Pode parecer estapafúrdio, mas os médicos não têm, na formação profissional, o treinamento que seria de esperar para a comunicação de más notícias aos pacientes ou familiares. Embora na grade curricular quase sempre se inclua alguma disciplina de psicologia ou de técnicas de comunicação, a carga horária é em geral restrita e oferecida logo nos dois primeiros anos de faculdade, quando a imaturidade do estudante e o pequeno contato com pacientes reduz (muito) a utilidade prática dos ensinamentos transmitidos. Para agravar ainda mais essa deficiência, é comum que os estudantes sejam impelidos a buscar sozinhos as estratégias que utilizarão para falar com os pacientes. Seus mentores diretos costumam ser médicos recém-formados, que ainda estão cursando a residência e também não tiveram orientações adequadas sobre maneiras de comunicar más notícias. Os docentes mais gabaritados costumam se dedicar integralmente a atualizações técnicas, dados da literatura e diretrizes de condutas; e, com raras exceções, não se deixam acompanhar pelos estudantes em visitas hospitalares ou consultas médicas, durante as quais os alunos poderiam vislumbrar na prática os desafios de revelar um diagnóstico ruim, explicar um tratamento complexo ou até mesmo constatar um óbito. Na prática, cada um decide por si mesmo como se comunicará com o outro, engolindo a própria insegurança e desconsiderando a angústia que isso traz. E seja o que Deus quiser[5]. Por causa dessa inaceitável deficiência na formação, é lamentavelmente comum ouvirmos dos pacientes a descrição dos traumas que as palavras do médico lhes causaram.

Sem levantar os olhos do resultado da biópsia, o médico proferiu: "É câncer de pâncreas. Está muito avançado para operar, já tomou todo o seu fígado. Vou mandar a senhora para o oncologista, mas acho que ele não vai poder fazer mais nada". Foram essas as palavras que Regina ouviu do médico, após meses de dores intensas no abdome e da perda de quase dez quilos. Aos 60 anos, nem imaginava que um dia poderia ter câncer. Não tinha casos na família. Nunca havia fumado ou bebido e jamais ficara realmente doente. As palavras do médico, duras, quase cruéis, deixaram Regina tão atordoada que ela não disse quase nada. O máximo que conseguiu foi perguntar se podia tomar algum remédio para a dor. Recebeu uma receita de dipirona, rabiscada às pressas, e foi quase enxotada do consultório, com o médico abrindo apressadamente a porta e lhe indicando a saída: "Boa sorte".

Pouco podemos fazer para reverter o sofrimento desnecessário que uma má notícia comunicada de forma inadequada ou cruel causa no paciente com câncer (ou com qualquer outro diagnóstico de doença grave). Mesmo anos depois do episódio lamentável, muitos pacientes ainda contam como o coração acelera ou como sentem calafrios ao se lembrarem do médico em questão. Às vezes, evitam até passar perto do consultório (foi o caso de Regina). A má comunicação costuma ter impacto sinistro em como essas pessoas lidarão com a doença e suas possíveis limitações a partir daquele momento. De fato, por vezes tem efeitos colaterais tão lesivos quanto qualquer medicamento. As sequelas podem ser permanentes.

Infelizmente, não há como apagar as palavras ouvidas. Mas há estratégias capazes de reduzir a possibilidade de passarmos por experiências tão perturbadoras. O primeiro passo está em compreender que, embora seja desconfortável pensarmos nisto, a probabilidade de adquirirmos alguma doença crônica, debilitante e fatal é muito maior do que a de terminarmos nossos dias de forma rápida e indolor e, preferencialmente, após uma velhice saudável, sem limitações (sofrendo, por exemplo, um ataque cardíaco durante o sono aos 98 anos). As doenças cardiovasculares e o câncer são as duas principais causas de morte na maioria dos países (inclusive no Brasil), e ambas as situações estão atreladas a alto risco de sintomas complexos, sofrimento e dependência do cuidado de outras pessoas. Apesar dos dados estatísticos tão claros e facilmente acessíveis a qualquer um, são raros os que se preparam de forma efetiva para uma doença limitante. Preparar-se, diga-se, pode significar simplesmente pensar no assunto, por mais mórbido que ele possa parecer.

Michael Hebb, autor de *Let's talk about death over dinner* [Vamos falar sobre a morte enquanto jantamos][6], considera as conversas sobre nossa própria mortalidade tão cruciais para uma vida mais feliz que idealizou esse formato inusitado para estimular as pessoas a falarem sobre o assunto. Desde 2013, Hebb organiza em diversos países jantares durante os quais as pessoas conversam com familiares, amigos e até desconhecidos sobre a morte e, em consequência, sobre o que lhes é mais importante na vida. Existe, aliás, a versão brasileira, com vários jantares já concretizados. Outra iniciativa semelhante são os encontros do Death Café [Café da Morte][7], que foi idealizado na Inglaterra por Jon Underwood e Sue Barsky Reid e já conta com versão brasileira em várias cidades. O objetivo essencial desses encontros bem-humorados é aumentar a consciência sobre nossa mortalidade, levando as pessoas a transformar a vida de modo que seja um tempo mais significativo. Embora à primeira vista possa parecer algo mórbido ou assustador, refletir sobre a própria finitude resulta em autoconhecimento, estimulando-nos a identificar nossos valores e prioridades. É o primeiro passo para que façamos escolhas mais coerentes durante a vida. Mais importante ainda é a constatação de que pensar sobre a morte nos fortalece durante a adversidade, inclusive ao enfrentar um diagnóstico de câncer.

Mas não é essencial participarmos de um "jantar com a morte" para aumentar a capacidade de lidar com as adversidades (leia-se *resiliência*). Podemos fazer isso na rotina diária, em especial nos momentos em que doenças ou tragédias pessoais não estão pairando sobre nós. Compreender nossos momentos felizes como a dádiva que são, inserindo cada um deles no contexto de seres finitos que somos, nos prepara para os tempos de dificuldade – seja uma doença como o câncer, sejam perdas financeiras, sejam quaisquer outras situações que abalem nossos alicerces. Isso nos ajuda a desenvolver alternativas, "planos B", que podem ser úteis quando as coisas não saem da forma que desejamos. Quando a adversidade chegar, ficará mais fácil encará-la e pensar: "Ah, então é esse o meu desafio? Tudo bem, vamos replanejar o caminho".

A NOSSA PARTE

Preparar o futuro significa fundamentar o presente.
Saint-Exupéry

Outra excelente estratégia para lidar com futuros problemas com o corpo – e aqui estamos falando não só do câncer, mas da ampla gama de doenças crônicas e degenerativas que acometem a maioria de nós – é investir na própria saúde. Não fumar, não ingerir bebidas alcoólicas em excesso, praticar atividades físicas regularmente e buscar uma alimentação saudável não são apenas bons hábitos que reduzem as chances de desenvolvermos doenças. Eles favorecem um corpo saudável, mais capaz de suportar tratamentos (e suas toxicidades), e aumentam, portanto, nossas chances de sucesso, sobretudo no caso do câncer. É frequente depararmos com pacientes decepcionados (e até revoltados) com o fato de terem desenvolvido câncer mesmo levando uma vida saudável. Porém, a decepção e a revolta não têm razão de ser. Bons hábitos não impedem que o câncer apareça, é verdade, mas reduzem drasticamente a possibilidade (às vezes, em mais de 80%). De outra parte, há muitos casos em que o câncer surge de uma mutação genética aleatória, que nada tem que ver com os hábitos de vida. A doença seria, assim, inevitável. Mas, mesmo nesses casos (talvez principalmente neles), um corpo saudável e resistente leva imensa vantagem sobre alguém com a saúde já comprometida.

Não é à toa que os médicos insistem na mudança dos hábitos de vida, e chega a ser surpreendente a resistência que tantas pessoas mostram a adotar tais mudanças. Nos tempos atuais, tão cheios de soluções rápidas para tudo, o "normal" é fazer dezenas de exames "preventivos" e sair deles com aquela sensação de alívio, de missão cumprida, de estar protegido até o próximo checape. Essa é talvez uma das mais cruéis ilusões disseminadas pela medicina moderna. Muitos dos exames "preventivos" se prestam não a prevenir doenças, mas a diagnosticá-las precocemente (na melhor das hipóteses). Pior: vários deles, se não são acompanhados de boa avaliação médica e de orientações pertinentes, podem resultar em diagnósticos incorretos ou levar a atraso no diagnóstico certo. A "medicina do medo", que apavora os pacientes com a necessidade de centenas de exames, não deixa espaço para que eles se empenhem em adotar atitudes que promovam a saúde e, claro, a própria felicidade.

Marta tinha 43 anos e saúde invejável. Orgulhava-se de poder dizer que nunca tinha deixado de fazer o checape anual, com exames que abrangiam Papanicolau, mamografia e vários testes laboratoriais e cardiológicos. Quando notou na mama esquerda um nódulo, do tamanho de uma azeitona, logo imaginou que se tratava de algo benigno, pois fizera a mamografia anual havia apenas semanas e nada tinha sido visto. Chegou a telefonar para o ginecologista, que a acalmou dizendo que não podia ser algo grave, pois sua mamografia era BI-RADS 2 (classificação radiológica que significa não haver indícios de neoplasia no exame).

O nódulo continuou aumentando, de modo lento e indolor, até ficar do tamanho de uma bola de pingue-pongue. Marta, porém, estava despreocupada, pois duas amigas tinham sido operadas de nódulos benignos nas mamas e estavam ótimas. Só quando notou um caroço sob a axila direita procurou de novo o ginecologista. O diagnóstico de câncer, agora já em fase mais avançada, a atingiu como um míssil. Vinha permeado de medo, culpa e revolta. Somente após iniciado o tratamento, com quimioterapia e depois cirurgia, Marta soube que vários casos de câncer, em especial em mulheres mais jovens, não são detectados pela mamografia. O mastologista que a acompanhou no tratamento também a informou de que suas mamas eram muito densas e, por isso, esse tipo de exame não era bom em tais casos. Um bom exame físico e uma postura médica mais cuidadosa teriam sido mais vantajosos para ela do que a mamografia.

Isso não significa que avaliações médicas periódicas e alguns exames "preventivos" não sejam importantes. Incontáveis vidas já foram salvas pela realização em massa da citologia oncótica do colo uterino, que é conhecida como "Papanicolau" e identifica lesões antes que se transformem em câncer, resultando em prevenção real da doença. Exame análogo que se poderia também citar é a colonoscopia, a qual tantas vezes impede que pólipos benignos evoluam para malignos. Muitas outras estratégias são igualmente valiosas para a promoção da saúde e a prevenção e detecção precoce de doenças graves, inclusive do câncer. Exemplos dessas estratégias são a vacinação, o rastreamento do câncer colorretal em determinadas situações e a própria mamografia, quando bem indicada e avaliada. Mas nenhuma delas é capaz de nos blindar contra doenças a ponto de não precisarmos fazer mais nada além de um punhado de exames periódicos. A crença no poder protetor dos exames chega a ser bizarra, como num senhor que ficava duas a três semanas por ano quase em jejum e sem bebida alcoólica, preparando-se para fazer os exames de rotina. Uma vez colhido o sangue, retornava feliz à rotina diária de alimentos gordurosos, bebida, dois maços de cigarro e nenhuma atividade física. Estava "liberado" até o ano seguinte.

O fato é que há diferenças gritantes entre os pacientes com boas reservas físicas e os com saúde física já debilitada ao início do tratamento oncológico. Isso não depende de idade, gênero, raça, religião nem nenhum outro fator. Aqueles que cultivaram bons hábitos durante a vida obtêm melhores resultados e sofrem menos com os tratamentos necessários, mesmo que os bons hábitos tenham sido adquiridos numa fase mais tardia, após os 50 ou 55 anos. Essas reservas físicas, que serão tão importantes para lidar com a doença e os tratamentos, o médico não poderá fornecer. São responsabilidade sua.

Uma amiga e colega me contou que costuma pensar nos hábitos de vida de seus pacientes como uma espécie de investimento bancário. A cada caminhada pela manhã, depositam-se algumas moedas na conta-saúde. A cada dia sem fumar, mais moedas. Um prato cheio de legumes e verduras, com pouca gordura e muitos grãos? Mais algumas moedinhas. Os "saques" ficam por conta dos dias sedentários, do excesso de bebida alcoólica naquele churrasco com os amigos, da orgia gastronômica nas férias. Quanto mais moedas investidas, menores as chances de uma doença cruzar o caminho do paciente, menos complicados os tratamentos para abordá-la, menor o sofrimento para ele. Segundo minha amiga, não há investimento mais rentável que esse – e concordo com ela.

É claro que uma vida de restrições severas e rotinas espartanas também não é ideal. Todos temos o direito de cometer alguns excessos no decorrer da vida, e, desde que sejam a exceção (e não a rotina), não vão ter impacto significativo em nossas reservas de saúde (na verdade, "enfiar o pé na jaca" de vez em quando pode ser até saudável!). Por isso, administrar a própria saúde é uma importante habilidade a adquirir e cultivar. É questão de equilíbrio, bom senso e amor por si.

Anselmo sempre teve cuidado especial com a saúde. Quando mais jovem, participava com frequência de campeonatos de natação em sua cidade, tendo acumulado várias medalhas. O hábito de nadar não o abandonou durante toda a vida. Mesmo com mais de 60 anos, mantinha a rotina diária de treinos na piscina, que lhe eram extremamente gratificantes. Anselmo não fumava, raramente ingeria bebida alcoólica e incluía na alimentação um pouco de tudo. Tinha saúde invejável, sem uso de nenhum medicamento. Quando veio o diagnóstico de câncer de pulmão, foi uma grande surpresa, não somente para ele, mas para todas as pessoas de seu convívio. Era difícil acreditar que alguém como ele pudesse ser acometido da doença. Nada em sua aparência física sugeria alguma pista (o câncer foi descoberto num exame médico de rotina, sem que Anselmo tivesse apresentado algum sintoma).

Os muitos anos de natação tinham construído em Anselmo um corpo saudável e resistente, com excelente capacidade funcional pulmonar, o que impedia que o câncer chegasse a comprometer sua rotina. Mais do que isso: com a prática dos exercícios, sua mente tinha aprendido a ser resiliente. Anselmo estava acostumado a superar marcas e obstáculos, e foi com essa postura que iniciou a quimioterapia. Tinha efeitos colaterais mínimos com o tratamento, mesmo nas fases iniciais, quando as drogas eram mais agressivas. Mantinha praticamente todas as atividades habituais (inclusive os treinos de natação), ausentando-se apenas nas datas de infusão da quimioterapia e, às vezes, no dia seguinte, quando se sentia um pouco mais cansado. Viajava para ver o neto recém-nascido, participava das reuniões familiares e de encontros com os amigos, organizava-se para viajar com a esposa nas férias. O câncer passou a ser uma parte de sua vida como outra qualquer. De fato, uma parte bem pequena.

Um colega, sedentário convicto com péssimos hábitos alimentares, costumava brincar com os amigos que praticavam esportes e cultivavam outros bons hábitos de saúde: "A única diferença entre nós é que eu vou morrer sem saúde e vocês vão morrer saudáveis". Não caia nessa armadilha. Menosprezar a importância dos bons hábitos de vida com a desculpa de que todos vamos morrer de qualquer jeito é o mesmo que acreditar que, para viajar para Paris, não existe diferença entre a primeira classe e o compartimento de carga do avião, pois o destino é o mesmo. Podem acreditar: morrer "saudável" é ótimo negócio. Invista nele quanto antes.

UM MÉDICO PARA CHAMAR DE SEU

O médico que só sabe medicina, nem medicina sabe.
Abel Salazar

Uma vez cientes disso, uma boa estratégia é buscarmos o acompanhamento de um médico de confiança. Não estou falando necessariamente da antiga figura do médico da família, que atendia desde ao recém-nascido até à bisavó de 90 anos. Se já houver esse profissional, ótimo. Médicos de família estão absurdamente capacitados para estratégias promotoras de saúde. Caso não haja, são vários os profissionais que podem acompanhar a saúde (e não necessariamente a doença) da pessoa no decorrer da vida. São muitos os argumentos a favor de ter um médico que acompanhe a saúde de forma mais integral e contínua, construindo com o paciente e sua família uma relação de confiança mútua e parceria. O mais importante desses argumentos é bastante simples: *nenhum de nós é capaz de prever, com precisão, o que nos espera.* Não sabemos se teremos de enfrentar um sério problema cardíaco que prejudicará a capacidade de respirar, ou se o diabetes comprometerá a função renal até nos tornarmos dependentes de diálise. Tampouco temos como prever se um câncer atravessará nosso caminho. Nosso médico também não consegue (a não ser que, nas horas vagas, ele consulte uma bola de cristal ou algo assim). Mas estreitar os laços entre médicos e pacientes, desenvolvendo-os e cultivando-os por anos a fio, permitirá que a comunicação de más notícias (um diagnóstico de câncer, por exemplo) se faça de forma mais respeitosa e compassiva. Além disso, bons médicos podem nos ajudar a preparar o corpo para lidar melhor com as doenças que vierem a nos acometer. Aqui, estamos outra vez falando não apenas de prevenir doenças, mas também de promover a saúde. A medicina do estilo de vida (MEV) é um bom exemplo de como trabalhar para viver melhor, independentemente de ter saúde perfeita ou não.

Outro bom argumento é que esse médico de confiança poderá encaminhar você para profissionais competentes, nos quais ele próprio confia, e especializados no problema de saúde que possa acometer você ou alguém da família. Isso reduz significativamente a probabilidade de que acabem sendo assistidos por profissionais que tenham perfil incompatível com seus valores e expectativas.

É razoável imaginar que ninguém fará esse tipo de acompanhamento de longo prazo com um oncologista, esperando o dia em que o diagnóstico de câncer surgirá por trás de uma biópsia. Clínicos gerais, médicos de família, cardiologistas e geriatras são bons exemplos de profissionais que têm na prevenção de problemas grande parte de seu trabalho e poderiam – ou até deveriam – desenvolver esse tipo de relacionamento profissional, da maneira o mais individualizada possível. (Aqui, cabe ressaltar que se trata não de prescrever uma lista de remédios cujo intuito é evitar o surgimento de doenças, mas de construir estratégias que você pode adotar para viver bem e preservar a saúde física e mental, com base em seus valores e suas expectativas.) O mais importante não é a especialidade na qual o médico atua, e sim sua forma de se relacionar com os pacientes e os familiares deles. Médicos capazes de estabelecer um relacionamento de confiança e parceria com os pacientes, compreendendo seus valores e expectativas ao longo da vida, tanto na saúde (prevenção) quanto na doença (tratamento), são em geral as melhores pessoas para comunicar uma notícia ruim como é o diagnóstico de câncer. Poderão oferecer auxílio valioso nas decisões a tomar a partir daquele momento, muitas delas extremamente difíceis. Para isso, favorecerão o compartilhamento das responsabilidades e assumirão o papel de equipe de apoio durante todo o processo da doença. São médicos com esse perfil os que temos apelidado *slow doctors*.

UMA REDE DE RELACIONAMENTOS

Tu te tornas eternamente responsável por aquilo que cativas.
Saint-Exupéry

Outro aspecto crucial na adversidade é a rede de relacionamentos que fomos capazes de cultivar durante a vida. A doença, em especial o câncer, rouba-nos muito mais do que a saúde física. O tempo nos é subtraído, assim como a capacidade de trabalho, a disposição para as tarefas diárias, a capacidade de nos organizarmos e diversas outras coisas. Por mais dedicado e disponível que seu médico seja, ele não conseguirá organizá-las por você. Mas sua rede de amigos e familiares consegue. Essa rede de apoio pode atuar nos mais diversos níveis, de pagar contas, ir ao mercado, acompanhá-lo a consultas médicas e cozinhar para você quando estiver nauseado a simplesmente lhe fazer companhia nos dias ruins.

O que vemos, na prática, é que as redes de apoio mais eficazes são aquelas que se baseiam no afeto recíproco. São pessoas que ajudam o doente porque o têm em alta conta, nutrem por ele admiração ou lhe são gratas, nada mais que isso. Trata-se de um sentimento que não costuma vir de graça. É preciso investir nas pessoas, oferecendo-lhes apoio, carinho, tolerância, compreensão ou mesmo uma xícara de açúcar emprestada. É necessário plantar os sentimentos que gostaríamos de colher um dia.

O diagnóstico de câncer atingiu a vida de Luísa como um torpedo. Saudável e feliz, era o tipo de pessoa que parece estar imune a uma doença como essa. Apaixonada por mergulho e por viagens, organizava a vida em torno dessas duas grandes paixões, emendando um plano de viagem no outro, sempre rodeada de amigos, com os quais contava e que sabiam poder contar com ela. Solteira, sem filhos e com os pais morando em outra cidade, havia muito tempo tinha aprendido o valor da interdependência.

Luísa enxergava nos amigos e colegas uma família unida e carinhosa e investia tempo e energia para tornar a vida deles melhor. Estava sempre disponível para uma conversa, um café, uma viagem e até grandes furadas. Tinha uma capacidade impressionante de agregar pessoas a seu redor, hábito cultivado durante toda a vida. Por esse motivo, não foi surpresa quando, poucos dias após a notícia do diagnóstico ter-se espalhado, sua vida já estava totalmente organizada.

Criaram de imediato um grupo de WhatsApp, o Rede Luísa, unindo amigos dela de todos os cantos, muitos dos quais nem sequer se conheciam ou até moravam em outros países. No grupo, organizaram escalas com as datas das consultas e exames, de tal forma que Luísa não precisasse se preocupar com condução e nunca estivesse sozinha nesses momentos. Notícias sobre sua saúde eram também compartilhadas ali, evitando que Luísa passasse pelo desgaste de repetir dezenas de vezes as mesmas informações a cada pessoa. Quando foi hospitalizada para a cirurgia, houve disputa acirrada para decidir quem ficaria com ela durante a internação, montando-se um revezamento de acompanhantes dia e noite. Os amigos estiveram presentes desde a admissão no hospital até a alta, inclusive dentro da UTI.

Mais tarde, quando Luísa precisou de quimioterapia, criaram outras escalas, garantindo que ela tivesse companhia e apoio integral. Luísa recebia ofertas de tudo: de alimentos mais saudáveis a prótese capilar, de sessões de reiki *a psicoterapia, de caronas para onde precisasse ir a convites para* happy hour. *A sensação de acolhimento era tamanha que a própria Luísa custava a acreditar: "Tenho uma família maravilhosa que amo demais, mas os amigos que tenho... Não dá nem para descrever! Meu amor por cada um deles é do tamanho do Universo". A rede de apoio na qual Luísa investira durante toda a vida não podia ter impedido que a doença a cometesse, nem era capaz de evitar os caminhos tortuosos do tratamento, mas tinha papel fundamental em tornar a vida dela menos difícil e mais cheia de significado.*

Não existe adversidade nem sofrimento que não possam ser minimizados com o amor e o carinho daqueles que estão ao nosso redor. Cultivar relações de respeito, confiança e honestidade com a família e os amigos é o caminho mais eficaz para contar com eles caso um câncer surja.

Eis os três principais pilares que poderão nos sustentar para que nossa vida não vire de cabeça para baixo após um diagnóstico de câncer: boa reserva de saúde física; resiliência emocional; e boa rede de apoio (incluindo-se um médico que seja nosso parceiro). Investir em cada um desses pilares equivale a construir nossa casa sobre uma rocha: se algum tsunâmi chegar, a estrutura permanecerá firme.

Estação 2 – Indo em frente

E agora?
M. J. P., paciente

Alguns dias depois de ter recebido o diagnóstico de câncer de mama, Marisa ainda não sabia como seguir em frente. Estava com 45 anos, era jornalista numa revista esportiva e tinha vida ativa e animada. Conhecia uma infinidade de pessoas, lidava com o público o tempo todo e estava raramente sozinha. Um tratamento de câncer não combinava em nada com seu estilo de vida, e o tempo que precisaria ficar afastada do trabalho lhe parecia impensável. Sem falar nos dois filhos, de 12 e 10 anos, que tinham a vida toda estruturada em torno dos horários da mãe na revista. Era muita coisa para resolver e programar num tempo curto.

No dia seguinte à consulta em que o médico a informou sobre o diagnóstico e o tratamento, Marisa foi à revista falar com o editor-chefe para que organizassem seu afastamento. O editor a conhecia havia anos, e tinham uma relação bastante próxima. Mesmo assim, o desconforto dele durante a conversa era quase palpável. Embora muito cordial e solícito, não conseguia olhá-la nos olhos por mais que poucos segundos. Numa conversa bastante rápida, combinaram que Marisa passaria os projetos em andamento a outro colega ainda naquele dia e ficaria depois afastada pelo tempo que fosse necessário. O editor colocou-se à disposição para qualquer coisa e concluiu dizendo:

"Vá me dando notícias".

Marisa dirigiu-se então a sua mesa para organizar tudo. Durante o trajeto, viu quando o editor-chefe chamou dois colegas dela em sua sala, provavelmente para informá-los de que assumiriam os projetos de Marisa. Pouco depois, ambos se dirigiram à mesa dela, visivelmente constrangidos:

"Oi, Marisa! O chefe disse que você vai se afastar um tempinho, né? Quer já nos passar suas coisas?"

Marisa se lembra desse dia com uma tristeza infinita. Não houve perguntas sobre como tinha sido o diagnóstico, como seria o tratamento, se estava precisando de alguma coisa, nada. Sentia-se assustadoramente sozinha. Era como se tivesse se transformado numa aberração incômoda. As emoções se embaralhavam dentro de si. Tinha vontade de chorar, ao mesmo tempo que sentia raiva. Queria gritar algo como "Que parte do 'Estou com câncer' vocês não entenderam?!" Estava com medo, muito medo, de ser tão facilmente substituível. Para Marisa, lidar com essa situação lhe causou mais sofrimento do que ter recebido o diagnóstico da doença: deixou-a absolutamente paralisada.

Para muitas pessoas, os passos a dar após um diagnóstico de câncer são extremamente exaustivos e difíceis. Seguir em frente, levando a doença na bagagem, pode mesmo ser tarefa árdua. A família, os amigos e até os colegas têm grande responsabilidade nesse processo, e a forma pela qual este será conduzido determinará as ferramentas disponíveis para que a pessoa trabalhe sua relação com a doença e com as perdas que poderão atingi-la. É ainda nesse processo inicial da chegada do diagnóstico que costumam se formar os esboços de uma equipe de apoio, a qual será essencial nas fases seguintes. Profissionais da saúde também podem auxiliar à medida que oferecem esclarecimentos sobre o que esperar, ajustando expectativas e dissipando o nevoeiro que costuma permear o raciocínio das pessoas.

O ELEFANTE NO MEIO DA SALA

No final, nós nos lembraremos não das palavras dos nossos inimigos, mas do silêncio dos nossos amigos.
Martin Luther King

No excelente livro *Plano B*, Sheryl Sandberg, chefe de operações do Facebook, fala sobre o "bloqueio" das pessoas ao se aproximarem de alguém que está vivenciando uma tragédia pessoal.[8] Quando aparecemos com o braço engessado, as perguntas brotam quase instantaneamente: "Nossa, o que houve?" "Onde você conseguiu esse braço quebrado, menina?" "O que você aprontou dessa vez?" Mas, se estamos tratando de algo grave e assustador como uma morte inesperada na família ou um câncer, o silêncio e o desvio de olhar são surpreendentemente comuns. Sheryl descreve de forma precisa esse tipo de situação: um elefante no meio da sala. Trata-se do distanciamento que se instala entre as pessoas quando algo trágico acontece na vida de uma delas. No caso de Sheryl, foi a morte súbita do marido – mas o elefante se acomoda na sala exatamente da mesma forma quando um diagnóstico de câncer aparece. A situação pode ser bizarra a ponto de uma amiga encontrar outra após um tempo sem terem se visto e, diante do lenço na cabeça para proteger o couro cabeludo desnudado pela quimioterapia, seu único comentário ser sobre a bela cor do lenço... Os motivos são os mais variados. Muitas vezes, a pessoa doente considera inadequado tocar no assunto, porque tem receio do sentimento de pena ou constrangimento que vai provocar ou porque deseja tentar manter o ambiente mais próximo da normalidade. Outras vezes, amigos e parentes não sabem o que dizer, têm medo de entristecer a pessoa querida e até têm receio de precisar se envolver mais do que gostariam. Ou, ainda, são aprisionados por pensamentos assustadores do tipo "Nossa, poderia ser comigo!" Os psicólogos costumam denominar isso *efeito mudo*. Assim, ficam todos sentados na mesma sala, com aquela sensação opressiva de um elefante comprimindo todos contra o sofá, e tudo o que conseguem dizer é quanto seu time de futebol vem jogando bem ou elogiar o café da padaria da esquina. "Elefante? Que elefante?" E passam-se longos e constrangedores minutos nos quais todos navegam em assuntos que nada refletem o que realmente gostariam de perguntar e faria diferença na vida de todos. Durante o processo de adoecimento por câncer, esse distanciar-se é uma das barreiras mais corrosivas para as relações. São inúmeros os relatos de pacientes sobre uma sensação de abandono, solidão e isolamento que tornou seus dias ainda mais difíceis. Sheryl Sandberg descreve diversas situações nas quais nosso elefante pode fazer estragos. Até mesmo perguntas corriqueiras como "E aí? Tudo bem?" são capazes de gerar sofrimento e desconforto, porque passam a impressão de não reconhecer que algo muito fora do comum está acontecendo (um "Como você está?" pode ser mais eficaz para quebrar barreiras, porque dá a entender que reconhecemos as dificuldades enfrentadas e gostaríamos de ajudar de alguma forma). Outra situação frequente é a interrupção imediata da conversa assim que a pessoa doente adentra o recinto (mesmo que o assunto nada tivesse que ver com ela). Se o assunto era alguma coisa engraçada, o silêncio é ainda mais constrangedor, como se a alegria desrespeitasse o sofrimento da pessoa. O silêncio desses momentos é aterrorizante, porque provoca no doente a impressão de ser uma aberração e reforça a sensação de que aquilo jamais vai passar.

"Tirar o elefante da sala" traz alívio imediato a todos os envolvidos, e logo fica claro que perguntar sobre o câncer, a quimioterapia, os exames, a dor ou qualquer outro assunto provoca mais conforto do que desconforto.

Falar sobre o assunto evita situações de sofrimento desnecessárias (por exemplo, convites estapafúrdios para longas viagens de férias durante o tratamento oncológico, como se nada de anormal estivesse acontecendo). E há um efeito ainda mais desejável: permite que a tensão se dissolva e dê espaço para que todos compreendam o que realmente se precisa fazer, o que é mais importante naquele momento e com que estamos lidando.

A boa notícia é que expulsar nosso incômodo paquiderme do ambiente não é tão complexo assim. O primeiro passo é reconhecer que ele está lá. Se é você quem está vivenciando a doença, pode tomar para si a responsabilidade de iniciar o processo de quebra dessa barreira nociva, desvencilhando-se da postura de fragilidade que o câncer tantas vezes impõe aos portadores e agindo em prol de sua saúde social. Isso pode ser feito de diversas formas, entre elas modificando conscientemente suas respostas às perguntas das pessoas. Ao "E aí? Tudo bem?" se responde com algo do tipo "Não como eu gostaria, por causa deste diagnóstico de câncer que me caiu no colo. Não está fácil, mas estou aprendendo a lidar com ele". O humor também costuma ajudar, e muito: "Tudo ótimo – cada dia fazendo mais economia no xampu!" Respostas assim reduzem depressa a tensão entre as pessoas, abrindo a possibilidade de levar o assunto adiante. São ainda mais eficazes se acompanhadas de um sorriso tranquilo. Responder com um pouco sincero "Sim, tudo bem" bloqueia de imediato o fluxo da conversa. Evite a armadilha de achar que as pessoas não se importam com você porque continuam vivendo como antes. Parta do princípio de que seu amigo sabe que não está tudo bem, tem receio de incomodá-lo ou fazer que você sofra e deseja ajudar de alguma maneira.

Outra estratégia que pode ser útil para alguns é descrever de forma pública (em redes sociais, grupos de mensagens, blogues ou qualquer outro meio no qual fiquem à vontade) o que estão sentindo. Isso permite que as pessoas se achem "convidadas" a participar do processo e tenham tempo para pensar em como reagirão à situação. Embora os inúmeros comentários de apoio que costumam seguir-se a postagens em que se relatam experiências dolorosas não substituam a sensação de acolhimento de uma conversa frente a frente, eles deixam o caminho aberto para papos mais sinceros quando as pessoas se encontram no dia a dia. O simples fato de alguém ter dedicado dois minutos de seu tempo para responder ao relato com palavras de apoio e coragem costuma reduzir a sensação de isolamento e frustração.

No comovente livro *Enquanto eu respirar*, a jornalista Ana Michelle Soares (a AnaMi) escreve sobre a experiência valiosa que ela e sua amiga Renata Lujan experimentaram ao decidir quebrar o silêncio.[9] Ambas jovens, com diagnóstico de câncer de mama metastático, sentiram na pele o peso do preconceito em torno do diagnóstico, que oprimia sua personalidade, seus sonhos e sua forma de viver. Em vez de terem se conformado a agir como as pessoas esperam que uma jovem com câncer se comporte, as duas resolveram celebrar a vida escancaradamente. Criaram um perfil no Instagram, o @paliAtivas, que em pouco tempo se tornou ponto de encontro de outras mulheres com câncer que se sentiam ali representadas. Compartilhavam medos, experiências, desejos, dicas, sonhos. Faziam planos que lhes trouxessem alegria e se esforçavam por cumpri-los, por mais mirabolantes que fossem. Médicos e outros profissionais da saúde começaram a se envolver com seus relatos, enxergando por outro ângulo o convívio com a doença. Ao terem compartilhado suas vivências, AnaMi e Renata mergulharam num processo de cura da alma e ressignificaram a doença. Compartilhar pode ser uma ferramenta definitiva no processo. E, claro, a franqueza absoluta, olho no olho, é também extremamente eficaz: "Olha, sei que pode ser difícil para você conversar sobre a minha doença, mas gostaria mesmo de ter alguém para falar sobre isso. Preciso da sua ajuda". Acredito que tal opção seja a mais efetiva em longo prazo. A cumplicidade que se origina de conversas como essa costuma ser indestrutível – e, acredite, "cúmplices" serão importantíssimos no decorrer da doença e do tratamento.

Se você faz parte da família ou do círculo de amigos da pessoa doente, pode quebrar o silêncio das mais diversas maneiras. Muitas vezes, ser direto mostra-se de grande utilidade: "Fiquei sabendo do resultado dos seus exames. Que droga isso, cara!" Para a pessoa doente, esse tipo de abordagem facilita a tarefa de tocar no assunto, promovendo uma conexão imediata entre os interlocutores. A escuta interessada e empática é outro ponto crucial e pode ser estimulada com perguntas do tipo "Como foi que você descobriu?", "Como está sendo o tratamento?" ou "Como você está lidando com isso?" Elas demonstram interesse genuíno na vida da pessoa, evitando que esta se sinta isolada e invisível. Os psicólogos dão a tais familiares e amigos o nome *abridores*[10]. Essas atitudes são especialmente importantes quando a pessoa doente tem personalidade mais retraída e discreta. A dificuldade que encontra para compartilhar experiências com os outros é maior, mas sua necessidade de falar sobre isso pode ser mais significativa do que para aqueles que registram nas redes sociais cada minuto da vida. A estratégia adotada para interromper o círculo (maligno) do silêncio, seja ela qual for, precisa respeitar profundamente os valores e o modo de ser da pessoa que está doente. Invocar toda a nossa capacidade de empatia é essencial nesse processo. Aqui, o foco está bem longe do nosso umbigo: encontra-se no sofrimento de quem vai adoecendo.

OS TRÊS *PÊS*

Quem tem um "por que" viver enfrenta qualquer "como".
Viktor Frankl

Saber que se tem câncer, assim como vivenciar outras dificuldades extremas (a morte do cônjuge, a ruína financeira, um estupro e tantas outras), pode desencadear uma mudança radical em como a pessoa percebe a vida. Infelizmente, no primeiro momento, essa mudança tende a ser negativa. Segundo o psicólogo americano Martin Seligman, há três sensações comuns que dificultam adotar uma postura mais otimista e proativa, a qual é desejável mesmo em situações extremas. Seligman as nomeou "os três *pês*"[11,12]. O primeiro *P* é a *personalização*: a sensação de ter culpa pelo diagnóstico e pelo sofrimento associado a ele. Essa impressão é ainda mais gritante nos casos em que o câncer está muito associado a hábitos de vida (o câncer de pulmão em paciente tabagista, por exemplo) ou em que o diagnóstico é tardio, sugerindo negligência da pessoa com a própria saúde. "Se eu tivesse ido ao médico no ano passado...", "Se eu tivesse parado de fumar...", "Se eu tivesse feito o exame ginecológico antes..." são algumas das muitas frases que ouvimos de pacientes com câncer, sobretudo daqueles com doenças avançadas. Os próprios profissionais de saúde podem reforçar esse tipo de sensação com comentários improdutivos e até cruéis: "É o preço de não ter feito exames preventivos" ou "Agora não adianta mais parar de fumar – o estrago está feito". Mas, embora alguns hábitos e escolhas pessoais aumentem os riscos de desenvolvermos câncer, é raro que determinem esse desfecho. A doença faz parte da vida, e a vida é incomodamente incerta. Vemos tumores de pulmão em pacientes que jamais se aproximaram de cigarro, assim como há tabagistas de longos anos que nunca terão câncer. Não temos como saber quais escolhas nossas estarão envolvidas em nosso destino. O que nos cabe é lidar da melhor forma possível com as consequências dessas escolhas. Cultivar a culpa não ajuda em nada e nos impele a desperdiçar tempo e energia que seriam mais bem aproveitados de outras formas. Compreender que toda experiência que vivenciamos – boa ou ruim – traz aprendizados nos ajuda a enxergar a adversidade como parte da vida, não como punição por nossos atos. Está aí o primeiro passo para reconhecermos na doença uma oportunidade.

Quando Beatriz soube que o câncer de mama tinha comprometido a coluna, imaginou que sua vida se encerraria ali. A sensação de culpa pela demora em ter procurado um médico a torturava o tempo todo, fazendo-a pensar em quanto a doença lhe roubaria a vida, a autonomia, os planos. Num desses momentos em que a culpa consumia toda a sua energia, uma amiga lhe disse que poderia ser pior. Incrédula, Bia perguntou como podia afirmar uma coisa dessas. Afinal, era câncer metastático, ela poderia morrer, como poderia ser pior? A amiga, serena, respondeu: "A doença podia ter acometido a sua filha em vez de você".

A partir desse momento, Bia compreendeu como a culpa a impedia de ser grata. Não conseguia nem imaginar quanto seria ruim se a filha, com apenas 32 anos e duas crianças pequenas, fosse quem tivesse de enfrentar a doença. Na verdade, Bia enxergou mais além. Passou a perceber a infinidade de pessoas que todos os dias, lidando com as mais tristes misérias humanas, enfrentam desafios ainda maiores que o seu. Uma profunda gratidão dissipou sua culpa, amenizou sua dor e a ajudou a seguir em frente.

É possível que, para alguns, a personalização funcione quase como uma prisão. A sensação de que tem culpa e de que aquela situação só acontece com ela pode ser tão grande que impede a pessoa de manter até mesmo rotinas básicas, como comer ou dormir, e o impacto na organização de sua vida se torna devastador. Não bastasse a terrível sensação de ter sido responsável pela própria doença, o indivíduo aumenta o espectro de culpas, passando grande parte do tempo a imaginar quanto está sobrecarregando os colegas de trabalho, prejudicando os filhos ou negligenciando os amigos com sua ausência ou incapacidade. Assim, muitas vezes, enxerga-se como grande transtorno. O aprisionamento nesse círculo vicioso pode ser quebrado com a ajuda externa, tanto do médico e da equipe de saúde quanto da família e dos amigos. Ainda que os médicos tendam a se preocupar muito mais com os exames e tratamentos a realizar do que com os efeitos deletérios da personalização, são justamente eles os profissionais para esclarecer aspectos essenciais que costumam ser libertadores: o câncer pode acometer qualquer um; nenhuma prevenção é 100% eficaz; há muitas outras pessoas na mesma situação; e ninguém precisa passar pela experiência sozinho. Sugerir o auxílio de outros profissionais (um psicólogo, por exemplo) ou de grupos de apoio também é parte do arsenal do médico para interromper a ação corrosiva da personalização. Para tanto, ele só precisa de empatia e de tempo, os quais, entretanto, estarão disponíveis somente se sua postura for mais *slow* do que *fast*. Nisso, a medicina e a tecnologia modernas não têm utilidade nenhuma.

A ação da família e dos amigos também é parte importante do processo. Não é raro encontrarmos familiares que reforçam a sensação de culpa ("Falei tanto pra você parar de fumar...") ou de solidão ("Mas ninguém da família teve câncer – como isso foi acontecer com você?"). Tais colocações se explicam por medo do sofrimento, por revolta com a situação e até por pena da pessoa que está doente. Mas, independentemente da motivação, seu impacto não é desejável. A doença já é desafio grande o bastante, e reforçar emoções negativas compromete a resiliência do paciente.

Outro comportamento deletério comum que se deve evitar é a comparação com histórias de outras pessoas, em geral trágicas. Contar como o vizinho descobriu um câncer parecido e morreu em três meses – e arrematar dizendo "Mas isso não vai acontecer com você, tenho certeza" – é caminho certo para um grau ainda maior de medo e solidão. Uma atitude mais solidária e mais compassiva funciona bem mais. "Mãe, eu sei que você está preocupada, com medo. Nós também estamos. Mas você não está sozinha. Isso pode acontecer com qualquer pessoa, em qualquer lugar, qualquer idade. Simplesmente acontece, e temos que achar um jeito de lidar com isso. Juntas."

O segundo *P* é a *permeabilidade*. É a impressão de que a doença afetará todos os setores da vida, interrompendo por completo a capacidade profissional, prejudicando os relacionamentos, comprometendo as finanças. É como se o câncer fosse um interventor e assumisse o controle de tudo. Doenças graves costumam mudar o rumo da pessoa (e de todos ao redor), mas não têm o poder de anular sua vida nem sua personalidade. Nossa saúde física é apenas parte do que somos. Negligenciar todos os outros aspectos da existência empodera a doença ao mesmo tempo que enfraquece a pessoa. É possível evitar de várias formas a armadilha da permeabilidade, e uma das mais eficazes é o exercício da atenção plena. Isso significa fazer um esforço consciente e contínuo para se concentrar na tarefa do momento, seja qual for – participar de uma reunião, executar uma faxina na casa, cozinhar o almoço, brincar com os filhos ou fazer uma prece. Conscientizar-nos dos múltiplos papéis que temos na vida ajuda a redimensionar a doença, reduzindo-a ao tamanho real e evitando a armadilha de deixar que nos domine. Não é tarefa fácil. Nas primeiras semanas após o diagnóstico do câncer ou a notícia da recaída, é esperado que todos os pensamentos, sentimentos e energias se voltem para a doença, o tratamento e o prognóstico. Mas podemos começar aos poucos, inserindo pensamentos felizes em alguns instantes do dia, reconhecendo momentos de alegria e agradecendo por eles. A prática de atividades como meditação, ioga e *tai chi chuan* também é uma ferramenta poderosa para reconhecermos o lugar exato da doença dentro de nossa vida. Outra estratégia bastante útil é conservarmos uma rotina próxima do habitual. Quando possível, manter as atividades profissionais, ainda que de modo mais flexível ou com carga horária reduzida, pode funcionar como terapia eficaz contra a permeabilidade. Com o tempo, a doença passa a ocupar menos espaço, e sua permeabilidade se dissolve.

Amigos e familiares têm a enorme responsabilidade de impedir que a pessoa esqueça quem ela é e sua importância para todos ao redor. Eles podem estimulá-la a manter pelo menos parte da rotina, em especial as atividades prazerosas. Podem lembrá-la do que ainda é capaz de fazer, como divertir-se com uma boa comédia, ensinar a fazer aquele bolo de fubá com goiabada ou caminhar todas as manhãs, mesmo que num ritmo mais lento que o habitual. Podem ajudar imensamente na autoestima, descobrindo novas formas de amarrar lenços na cabeça, pedindo sua ajuda para alguma atividade para a qual tem grande habilidade ou simplesmente mantendo a rotina o mais próxima possível do normal. É importante que reforcem o óbvio: pelo fato de estarmos doentes, não deixamos de ser quem somos nem de ter nosso valor. A sensação de que o câncer permeia todas as dimensões da vida fica muito maior quando, por causa da doença, aqueles com quem convivemos modificam completamente o ambiente e a rotina. Pior: quando modificam completamente a maneira de nos enxergar, passando a ver a doença no lugar do ser humano.

O terceiro e último *P* é a *permanência*, a sensação de que o sofrimento durará para sempre. Essa talvez seja a principal sabotadora do movimento de seguir em frente. É ainda mais corrosiva quando estamos falando de câncer metastático que não tem possibilidade de cura e que, portanto, vai mesmo acompanhar a pessoa para sempre, o que significaria uma existência extremamente infeliz. Nesses casos, talvez a principal questão seja compreender que existe grande diferença entre doença e sofrimento. Em *Sapiens – Uma breve história da humanidade*, o *best-seller* de Yuval Noah Harari, descreve-se como as pessoas costumam confundir a felicidade com experiências sensoriais boas: quanto mais tempo vivenciamos sensações agradáveis (e, em consequência, menos sensações desagradáveis), mais felizes somos[13]. Mas o próprio Harari acha bastante questionável essa definição de felicidade. Se a felicidade fosse tão somente o resultado do saldo positivo entre momentos agradáveis e momentos desagradáveis, seria bem difícil encontrarmos alguém que se autodeclarasse "feliz" neste louco mundo atual, onde jamais estamos satisfeitos com o que temos. Segundo Harari, a felicidade consiste em enxergar a própria vida, em sua totalidade, como algo significativo e valioso. Desse ponto de vista, momentos ruins, doenças e outras adversidades são parte normal da existência e podem ser até considerados oportunidades de aprendizado e evolução pessoal. A vida se expande, tornando a doença proporcionalmente muito menor, ainda que permanente. Não conheço nenhuma frase que traduza de forma mais verdadeira esse processo de ressignificação da vida do que a de Viktor Frankl (1905-1997), psiquiatra judeu que padeceu nos campos do Holocausto: "O homem está pronto para enfrentar qualquer sofrimento, desde que e enquanto consiga ver nisso um significado". Quem enxerga o valor do que tem transforma o sofrimento em caminho.

INFORMAÇÃO É TUDO

Sem dados, você é apenas mais uma pessoa com uma opinião.
William Edwards Deming

O diagnóstico de câncer pode vir acompanhado de um turbilhão de dúvidas, preconceitos, ideias equivocadas e, consequentemente, decisões inadequadas. É compreensível que, em meio a tantas mudanças inesperadas na rotina diária e ao impacto emocional causado pela doença, o paciente e todos os que lhe são próximos se preocupem sobretudo com o apoio emocional e os aspectos práticos. No entanto, apropriar-se de informações mais corretas sobre a doença e sobre o tratamento pode ter impacto emocional mais positivo do que uma companhia bem-intencionada mas mal informada.

Um aspecto fundamental é buscar fontes confiáveis de informação, e a principal delas é o médico responsável. Pergunte. É um momento importante para que se desenhe como você e o médico vão se relacionar. Os médicos têm a incômoda tendência a tomar as decisões sozinhos, ou por considerarem que o paciente/familiares não têm condições de compreender a doença em toda a sua complexidade, ou por se julgarem os únicos responsáveis pelos aspectos técnicos envolvidos no tratamento. Além disso, o treinamento do médico é em geral centrado na doença, o que significa que, ao deparar com um diagnóstico, sua mente desencadeia de imediato um algoritmo de tratamento baseado em dados de estudos clínicos complexos ou diretrizes terapêuticas, excluindo a possibilidade da participação do paciente nas decisões. Os médicos utilizam termos técnicos pouco familiares para explicar o diagnóstico e, com frequência, não dão margem a alternativas. Tanto o paciente quanto seus familiares e amigos podem – e devem – buscar estabelecer uma relação mais proativa com os profissionais de saúde, comprometendo-se com as decisões a tomar e participando ativamente de todos os passos. Isso se chama compartilhar responsabilidades e começa justamente com as perguntas. Algumas delas, importantíssimas, nunca ou quase nunca são dirigidas aos médicos.

Uma das perguntas que raras vezes fazem é, surpreendentemente, se o câncer em questão é maligno. Com frequência, nem mesmo se utiliza a palavra *câncer* (os médicos gostam muito de escondê-la por trás de termos menos assustadores, como "tumor", "nódulo", "mancha" ou "lesão"). Conheci pacientes que, mesmo depois de terem recebido muitos meses de quimioterapia e estarem evoluindo para a fase final de vida, ainda não tinham certeza do que estavam tratando, muitos deles imaginando que era apenas uma úlcera ou um "câncer benigno". De maneira geral, todo câncer é maligno. Isso significa que tem potencial para crescer, disseminar-se para outros órgãos e provocar a morte. No entanto, esse potencial maligno é variável. Alguns tipos de câncer, como certos tumores da tireoide, da próstata ou da mama, demoram muitos anos até provocarem de fato algum mal. Às vezes esse tempo é tão longo que a doença nem chega a causar desconforto, quanto mais a morte (há até quem defenda que, nesses casos específicos, nem deveríamos usar o termo *câncer*)[14]. Em outros casos, porém, a doença se dissemina em poucas semanas, e o diagnóstico talvez seja feito quando outros órgãos do paciente já estão comprometidos (damos a isso o nome *doença metastática*). Portanto, é essencial ter com o médico uma conversa clara sobre essas questões para compreender melhor a doença com a qual estamos lidando e a urgência (ou não) de iniciar um tratamento oncológico.

É igualmente importante que você saiba o *estadiamento* da doença. Para os oncologistas, é a determinação da fase (o estágio ou, no termo menos usual, estádio, donde o nome estadiamento) da doença em que o paciente se encontra, permitindo que tenhamos uma estimativa do prognóstico. De forma simplificada: o câncer se inicia em geral com o adoecimento de algumas poucas células em determinado órgão (por exemplo, no pulmão). Com o passar dos dias, essas células vão se multiplicando e formando um nódulo maior, já detectável por exames como radiografia ou tomografia, mas ainda bem localizado no órgão. É uma doença em estágio inicial. O estágio seguinte é o comprometimento de outras estruturas próximas, como os linfonodos (também chamados gânglios linfáticos, cujos inchamentos são as ínguas). Se a doença é detectada nessa fase, significa que já está um pouco mais avançada, mas que ainda não se disseminou para o resto do organismo. Nas fases mais tardias, o câncer já consegue sair do órgão onde se originou para se instalar em órgãos distantes, como os ossos, o cérebro ou o fígado. Suas células foram carregadas pela circulação sanguínea e se fixaram nesses outros órgãos, formando mais tumores, que denominamos *metástases*. Cabe ressaltar que, se um câncer que surgiu no pulmão migra para o fígado (por exemplo), estamos falando não de nova doença no fígado, mas do mesmo câncer que estava no pulmão e se acomodou no fígado do paciente; trata-se de uma doença só, agora disseminada. É a fase mais avançada da doença (e, portanto, a mais grave), que chamamos de *estágio IV*. Quanto mais avançado o estágio em que o câncer é diagnosticado, mais complexo é o tratamento e, em geral, menores são as possibilidades de cura.

Por isso é muito importante determinarmos em que estágio da doença o paciente se encontra. Tal informação terá impacto direto na escolha do tratamento mais adequado. Também permitirá que as expectativas do paciente sejam ajustadas a sua realidade, evitando que ele tome decisões incompatíveis com a situação. É para estabelecer o estadiamento do tumor que o médico solicita uma série de exames de imagem antes de iniciar o tratamento. Em geral, é preciso fazer tomografias, ressonância nuclear magnética ou PET-CT (também chamado *PET-scan*) para estabelecer o estágio do tumor. Podem ser necessários mais exames, como a cintilografia óssea ou outros mais complexos. Cada tipo de câncer tem um perfil de comportamento, e é com base nesse perfil que os exames são solicitados. Assim, é importante questionar o médico sobre seus resultados: "Doutor, em que fase do câncer estamos? Foi encontrada alguma metástase ou ele está localizado?"

Pode ser que o médico não fique à vontade com essas perguntas, sobretudo se a doença estiver mesmo mais avançada. Os profissionais de saúde não gostam de dar más notícias (quem gosta?). Mas esse desconforto precisa ser superado, e uma atitude mais participativa do paciente e da família costuma favorecer o processo. Aqui, de novo, é necessário "tirar o elefante da sala". Procure saber detalhes da doença:

» Qual é o tamanho do tumor principal?
» Onde estão localizadas as metástases?
» É possível medir o tamanho delas?
» Quantas lesões são?
» Que exames as mostraram?

O passo seguinte é compreender o que podemos esperar do tratamento, considerando o tipo de câncer e a fase em que a doença está. Isso se chama *prognóstico*. De maneira geral, temos bom prognóstico quando as chances de cura com os tratamentos disponíveis são altas; e prognóstico desfavorável quando os tratamentos de que dispomos não são capazes de curar o câncer. No segundo caso, o objetivo do tratamento passa a ser o controle da doença pelo maior tempo possível e, principalmente, a preservação da qualidade de vida do paciente durante esse tempo. É o que chamamos de *tratamento paliativo* (o qual não é a mesma coisa que *cuidados paliativos*, como veremos adiante).

Os tratamentos paliativos, à diferença dos curativos, costumam ser administrados por tempo indeterminado. Ou seja, são mantidos até que o paciente não suporte mais a toxicidade deles ou até que a doença piore (o que significa que o tratamento se tornou ineficaz). Aqui cabem infinitas perguntas, que devem ser feitas mesmo que pareçam sem importância ou até mesmo constrangedoras:

» Qual é o objetivo do tratamento?

- » Posso esperar a cura? Ou isso é improvável?
- » Como se faz o tratamento? Que efeitos colaterais posso desenvolver?
- » Existe um prazo para que o tratamento termine? Ou precisaremos fazê-lo pelo resto da vida?
- » Como vamos saber se o tratamento está funcionando?
- » Posso fazer as unhas durante o tratamento? E pintar os cabelos?
- » Posso ingerir álcool? Viajar? Continuar trabalhando?

São muitas as informações, e provavelmente várias delas não sejam compreendidas logo nas primeiras consultas. Nós nos esquecemos de fazer algumas perguntas e só nos lembramos delas no carro a caminho de casa, mas nem por isso devem ser ignoradas: escreva-as num caderninho ou no celular para apresentá-las na consulta seguinte. Nossa memória, em tempos críticos, pode nos enganar de modo bem descarado. Justamente por isso, é muitíssimo recomendável ter sempre nas consultas médicas a companhia de alguém da rede de apoio. De preferência, esse acompanhante precisa ser alguém com espírito prático e bom controle emocional, que facilite a compreensão do que for explicado e ajude de forma mais eficaz.

Era a segunda consulta de Bete com a oncologista. O diagnóstico de câncer no fígado a tinha deixado confusa, e ela pouco havia compreendido sobre o tratamento na primeira consulta. Falou da doença à família, mas não conseguiu explicar quase nada sobre o tratamento, tamanho foi o impacto emocional depois de ter ouvido o diagnóstico. Por isso, pediu que alguém a acompanhasse na consulta seguinte, tarefa para a qual a irmã mais velha, Lucélia, se prontificou na hora.

Agora Lucélia estava nervosa. Não gostava de consultórios, e a visão de duas outras pacientes na sala de espera – ambas com lenços na cabeça que denunciavam o tratamento com quimioterapia – a deixou ainda mais ansiosa. Assim que a médica chamou Bete, Lucélia saltou do sofá, entrando no consultório antes mesmo que a irmã pudesse se levantar. A secretária da médica ajudou Bete a se acomodar, enquanto Lucélia iniciava inúmeras perguntas sobre a doença da irmã. Logo após as primeiras respostas da médica, confirmando que se tratava mesmo de câncer e que Bete precisaria receber quimioterapia, Lucélia desabou. Chorava inconsolavelmente, olhando para Bete sem esconder o desespero, agarrando as mãos da irmã com força. "Bete, como assim?! Como assim?!"

O desespero de Lucélia era tão grande que não se conseguiu explicar nada sobre o tratamento. Tanto a médica quanto Bete passaram o tempo todo acalmando Lucélia, pedindo que procurasse se controlar um pouco para que pudessem esclarecer melhor a situação, falar do tratamento, tirar as muitas dúvidas de Bete. Em vão. Quanto mais elas pediam, mais exaltada Lucélia parecia. Passado algum tempo, ficou claro que não havia condições de prosseguir. Nova data foi agendada, e Bete se prontificou a vir com outra pessoa, que pudesse ajudá-la. Saiu do consultório amparando Lucélia, que soluçava de cabeça baixa, inconsolável. Mesmo com a irmã ao lado, Bete nunca tinha se sentido tão sozinha na vida.

Nesse momento, é provável que as pessoas emocionalmente mais estáveis não sejam as mais próximas, as quais também querem participar das consultas e compreender melhor a situação. Se não for possível a presença de mais de um acompanhante no consultório, é recomendável um pequeno rodízio entre dois ou três para que informações importantes não sejam negligenciadas nem suprimidas pelo impacto emocional que possam causar. Uma boa ideia é, se possível, solicitar ao médico uma reunião com toda a família, com o consentimento do paciente (e de preferência na presença dele), para que as informações sejam alinhadas e organizadas. Quanto mais informada a rede de apoio estiver, melhor será o apoio oferecido. Pergunte, pergunte, pergunte.

Nos dias de hoje, é possível ainda buscar informações em outras fontes que não o médico. Isso é bom, mas acarreta perigos. Embora tenhamos acesso a informações a respeito de praticamente tudo, é difícil separar o joio do trigo nas fontes sobre saúde, em particular para pessoas que sejam leigas e/ou estejam sob impacto emocional. Mas há sites que se especializam em fornecer informações a pacientes oncológicos e seus familiares e constituem bons locais de busca. É o caso da página do Instituto Oncoguia (www.oncoguia.org.br), que contém explicações confiáveis sobre câncer, tratamento, direitos, dicas e referências para apoio. O Instituto Nacional do Câncer (Inca) também tem página dedicada a isso (www.inca.gov.br), assim como a Sociedade Brasileira de Oncologia Clínica, que oferece cartilhas para pacientes (sboc.org.br/noticias/item/758-cartilhas-para-pacientes-com-cancer). Outra boa fonte para esclarecer dúvidas é o site do Instituto Vencer o Câncer (www.vencerocancer.org.br), no qual se encontram inclusive estudos clínicos que estejam em andamento no país com novas drogas.

O mais importante é não acreditar em tudo que se lê na internet. A rede está saturada de informações inexatas, incorretas e até perigosas. Na dúvida, pergunte ao médico. Não se coloque em risco sem necessidade. Isso é (muito) sério.

UM BANHO DE NÚMEROS

Ver aquilo que temos diante do nariz requer uma luta constante.
George Orwell

Embora possam ter sidos alunos medíocres em matemática (como fui), os médicos lidam com estatísticas o tempo todo. Dependem delas para calcular riscos, prever benefícios de determinados tratamentos e avaliar as chances de cura. Muitos, aliás, se escondem por trás delas para dar notícias (em especial as más) aos pacientes.

Leonardo estava tenso. Já sabia do diagnóstico de câncer na vesícula biliar e retornava ao consultório do oncologista para ver o resultado dos exames de estadiamento. Na verdade, tinha dado uma olhada nesses exames, e a descrição de "nódulos no fígado sugestivos de comprometimento metastático" tinha lhe tirado o sono. Fez uma pesquisa rápida na internet e chegou à conclusão de que seu câncer era muito avançado, em estágio IV, e de que nesses casos a probabilidade de estar vivo em cinco anos era de apenas 2%. A fala do médico, no entanto, o tranquilizou: confirmou que a doença estava mesmo avançada, com metástases no fígado, mas que as chances de resposta aos tratamentos atuais eram de cerca de 80% e que o tempo de vida de cada paciente era impossível de determinar, pois dependia justamente daquela resposta inicial ao tratamento. Logo Leonardo se apegou à ideia de que estaria entre os 80% que têm bons resultados com o tratamento, sentindo-se animado e seguro, pronto para iniciar a quimioterapia.

Após algumas sessões, Leonardo já se sentia mesmo melhor. O empachamento havia desaparecido, não tinha mais dor, e as tomografias mostravam redução do tamanho das metástases no fígado. O médico parecia feliz com os resultados, reforçando os dados estatísticos: "Não te falei que as chances de termos resposta ao tratamento eram grandes?" A quimioterapia foi mantida, e Leonardo via crescerem as esperanças de terminar o tratamento antes das festas de fim de ano. Até se pôs a organizar as férias, previstas para janeiro.

No entanto, as coisas começaram a não ir tão bem. No final de novembro, Leonardo perdeu peso e ficou amarelo, com o abdome inchado; não conseguia mais se alimentar. Não compreendia o que estava acontecendo e tornou a conversar com o oncologista. Fizeram-se novos exames, que comprovaram grande aumento das lesões do fígado, agora de todo comprometido pelas metástases. A doença já não estava respondendo ao tratamento. Leonardo ficou confuso e, ao questionar o médico, ouviu a desconcertante resposta: "Leonardo, o que eu disse foi que 80% dos pacientes têm resposta ao tratamento, e você teve. Melhorou bastante com a quimioterapia. Infelizmente, na maioria dos casos, o tumor se torna resistente ao tratamento após alguns meses... Por isso consideramos incurável a maioria das doenças metastáticas. As chances de obter resposta são altas, mas as de curar a doença são mínimas".

Leonardo morreu pouco depois do ano-novo, pouco menos de um ano após o diagnóstico. Como previam as estatísticas.

Questões estatísticas que envolvem o câncer e seu tratamento são sempre muito complexas. Tanto que os próprios médicos costumam ter dificuldade para compreendê-las e ajustá-las à realidade dos pacientes. Existem também inúmeros vieses que funcionam como obstáculos nesse processo, e muitos passam completamente despercebidos pelos pacientes e familiares (e mesmo pelos médicos). No entanto, o fator mais decisivo na escolha das estratégias de tratamento está relacionado ao desalinhamento entre o que médicos esperam do tratamento e o que os pacientes e familiares gostariam de obter com ele. Para entender esse abismo (que pode ser de fato grande), precisaremos passar por alguns termos estatísticos potencialmente confusos. Assim, caso você se sinta perdido no meio dos próximos parágrafos, não se preocupe: são poucos os que compreendem em profundidade as questões estatísticas (e não me incluo entre esses poucos). Se preferir, simplesmente pule para os tópicos seguintes e retorne aqui quando sentir necessidade. Para nossa sorte, o brilhante oncologista Vinayak Prasad, no livro *Malignant – How bad policy and bad evidence harm people with cancer* [Maligno – Como más diretrizes e dados ruins prejudicam as pessoas com câncer], conseguiu o feito admirável de "traduzir" os aspectos mais pertinentes da estatística médica em oncologia para que possamos entendê-los com o cuidado necessário, e foi de seu livro que extraí os pontos de maior relevância[15].

A primeira constatação surpreendente é que, embora pacientes com câncer considerem prioridade viver mais tempo e preservar a qualidade de vida, mostram-se cada vez mais raros os casos em que as drogas antineoplásicas são aprovadas por possibilitarem, de modo indiscutível, que se atinja aqueles objetivos. Explico: apenas 40% das novas drogas para tratamento do câncer são aprovadas por terem proporcionado aumento real do tempo de vida e/ou qualidade de vida. Os 60% restantes – ou seja, a maioria delas – têm o uso autorizado com base nos chamados *desfechos substitutos* (do inglês *surrogate endpoints*). Considerando esse dado, faz-se importante compreender o que vêm a ser os tais desfechos.

O médico Adam Cifu, da Universidade de Chicago, os definiu assim: "Desfecho substituto é algo que o paciente não tinha ideia de que era importante, até que um médico lhe disse que era". É um desfecho intermediário, ou seja, consegue representar o desfecho desejado pelo paciente (aumento do tempo e/ou qualidade de vida), mas pode ser medido num tempo mais curto ou de forma mais fácil. Num mundo ideal, todas as novas drogas deveriam ser aprovadas apenas se fosse comprovada sua eficácia em aumentar significativamente o tempo de vida (isto é, se proporcionassem aumento da sobrevida global dos pacientes) ou, pelo menos, em melhorar também significativamente a qualidade de vida. Em muitos casos, porém, o tempo necessário para comprovar esse ganho é longo, pois seria preciso aguardar até que a maior parte dos pacientes envolvidos nas pesquisas clínicas com a droga evoluísse a óbito (pelo câncer ou não) para que fosse possível constatar se a morte ocorreu mais tardiamente em quem usou o tratamento proposto. Cabe ressaltar que tal tipo de avaliação se aplica inclusive a tratamentos curativos, em que o tempo de vida é maior justamente porque se conseguiu curar a doença que poderia ter sido fatal. Tudo isso postergaria a aprovação do tratamento em meses, anos ou até décadas, aumentando os custos da pesquisa para a indústria farmacêutica e privando muitos pacientes de utilizá-lo enquanto se aguardam os resultados dos estudos clínicos (supondo que o tratamento seja mesmo capaz de curar a doença ou pelo menos prolongar a vida). Para otimizar esse tempo, os estudos começaram a ser elaborados não para verificar especificamente o ganho na sobrevida global (SG), mas para avaliar desfechos que indiquem que esse ganho virá – os desfechos substitutos.

Em oncologia, há dois tipos principais de desfecho substituto: os que verificam o comportamento do tumor quando exposto ao tratamento (sua regressão ou crescimento) e os que se relacionam ao tempo necessário para que ocorram determinados desfechos (recidiva do tumor ou piora da doença, por exemplo). Nenhum de tais desfechos é capaz de verificar diretamente a capacidade do tratamento de aumentar o tempo de vida ou melhorar a qualidade de vida. Eles apenas sugerem que isso ocorrerá. No entanto, muitas vezes aqueles desfechos são expostos a vieses importantes, induzindo-nos a acreditar que são mais eficientes do que realmente são. Por isso, devem ser interpretados pelos médicos de forma extremamente criteriosa (o que nem sempre é uma realidade).

O principal desfecho substituto que avalia a evolução da doença diante de determinado tratamento é a *resposta tumoral*. Ela verifica o comportamento do tumor daquele paciente específico em relação ao início do tratamento, determinando se houve desaparecimento, redução, estabilidade ou piora da doença. Quando a doença desaparece por completo dos exames de imagem (em geral tomografias computadorizadas), dizemos que houve *resposta completa* (RC). Se ocorre redução do volume de doença, classificamos como *resposta parcial* (RP). Se o volume do tumor permanece inalterado, dizemos *doença estável* (DE); e, se há aumento de suas dimensões ou surgimento de novas lesões, estamos diante de uma *progressão de doença* (PD). A *taxa de resposta* (TR) se refere à porcentagem de pacientes expostos ao tratamento que obtiveram RC ou RP. Por meio dessa taxa, vislumbramos o que se espera do tratamento quanto à redução do tumor.

Até aqui, não há grandes problemas. Na prática, um radiologista treinado seleciona (em geral por tomografias também) até dez lesões que serão acompanhadas durante o estudo (chamadas lesões-alvo). Ele então mede os maiores diâmetros dessas lesões e soma os valores obtidos. Após um tempo predeterminado de tratamento, as tomografias são refeitas, e as lesões-alvo são de novo medidas e somadas, calculando-se a porcentagem de aumento ou redução na comparação com as tomografias anteriores. O viés começa quando precisamos determinar uma porcentagem de aumento ou redução para classificar a resposta do tumor ao tratamento estudado. Para considerar que a doença está em progressão, definiu-se que é preciso um aumento de 20% na soma dos maiores diâmetros das lesões observadas (é o critério preconizado pelo protocolo Recist – *response evaluation criteria in solid tumors*, hoje a ferramenta mais utilizada em estudos clínicos). Da mesma forma, para definirmos que houve resposta parcial, é necessária uma redução de no mínimo 30% do volume tumoral. Qualquer resposta que fique entre 30% de redução e 20% de aumento é considerada doença estável. Por mais anticientífico que possa parecer, essas definições se fizeram de modo totalmente arbitrário. Tais números (20% para progressão e 30% para resposta parcial) foram decisões de ordem prática, tomadas com o intuito de facilitar a avaliação da eficácia do tratamento.

Eles carregam consigo duas limitações importantes. Em primeiro lugar, sabemos que tumores não crescem em apenas uma dimensão (o maior diâmetro): eles aumentam tridimensionalmente. Assim, um aumento de 20% nas maiores dimensões das lesões pode, na verdade, subestimar ou superestimar o aumento real do volume de doença do paciente. A segunda limitação (e talvez a mais preocupante) diz respeito ao significado desses números arbitrários para a vida da pessoa doente. Um paciente pode sentir-se perfeitamente bem mesmo após um aumento de 50% das dimensões de seus tumores, ao passo que outro talvez apresente franca deterioração da qualidade de vida com um aumento de apenas 10% ou 15% – ou até mesmo com a redução do volume de doença. Ou seja, são medidas festejadas pelos médicos, podem ser obtidas com facilidade, mas não necessariamente se traduzem em benefício clínico para o paciente.

Além disso, é importante avaliar o tempo em que essas respostas se mantêm com o uso do medicamento em estudo. Uma resposta extraordinária que persiste por poucas semanas talvez seja menos interessante para o paciente do que uma doença que se mantenha estável por muitos meses. A resposta ao tratamento, por si só, não garante vida mais longa nem melhor. Assim, se o objetivo principal de um estudo for avaliar a taxa de resposta de determinado tratamento, um alerta vermelho deverá surgir no cérebro dos oncologistas: cuidado ao transpor esses resultados para a prática clínica.

A outra categoria de desfecho comumente utilizada nos estudos em oncologia abrange aqueles que medem o tempo decorrido até que determinados fatos aconteçam (em inglês, denomina-se *time-to-event endpoints*). O principal deles é a própria sobrevida global, que reflete com exatidão o tempo de vida do paciente a partir do início do tratamento (e, portanto, até que ponto o tratamento em teste é capaz de aumentar esse tempo). O fato que determina o tempo de SG é sempre a morte do paciente (por câncer ou outras causas), o que pode demorar anos até acontecer. Os desfechos substitutos utilizados com mais frequência para prevermos mais depressa o ganho na SG são a *sobrevida livre de progressão* (SLP) e a *sobrevida livre de doença* (SLD). Ambos têm sido cada vez mais empregados para avaliar a eficácia dos tratamentos anticâncer, e por isso é importante compreendê-los.

A SLP é provavelmente o desfecho substituto mais utilizado nos estudos oncológicos recentes, em especial para doenças avançadas ou metastáticas, que muitas vezes não podem ser eliminadas por completo. É um desfecho composto, o que significa que a SLP mede o tempo decorrido até que uma de três coisas aconteça: *ou* a morte do paciente (por qualquer causa), *ou* o surgimento de nova lesão tumoral, *ou* o aumento (de pelo menos 20%) dos tumores já existentes. Aqui começam as confusões. Muitos médicos entendem a SLP como o tempo decorrido até a piora da doença, mas isso não é de todo verdade. Em primeiro lugar, o paciente pode vir a morrer (de infarto do miocárdio, por exemplo) sem que a doença tenha progredido. E, em segundo lugar, lembremos que a "progressão" da doença é arbitrária: o aumento de 20% não está necessariamente associado a uma piora clínica. Mesmo assim, a imensa maioria dos estudos prevê a interrupção do tratamento assim que se detecta essa progressão arbitrária.

Na prática diária, quando replicamos esses estudos clínicos sem uma avaliação cuidadosa do contexto de nossos pacientes, acabamos nos desviando do que é um interesse genuíno deles: manter uma boa qualidade de vida apesar da doença. Imagine um paciente que tem câncer de pâncreas avançado, já com metástases disseminadas pelo fígado, e inicia a quimioterapia com 20 quilos menos que o peso habitual. Sente-se fraco e inapetente, com fadiga limitante e dores intensas relacionadas ao câncer. Após alguns meses de tratamento, os exames mostram redução significativa da doença, refletida na qualidade de vida: ele passa a se alimentar bem melhor, não precisa mais de analgésicos fortes para controlar a dor e recupera dez dos 20 quilos perdidos. Mais alguns meses e, apesar do paciente continuar ganhando peso e sentindo-se muito bem, as tomografias mostram aumento superior a 20% nos diâmetros das lesões hepáticas. Será que podemos considerar que, ao observarmos um aumento de 20% nas dimensões do tumor, esse paciente subitamente perderá os benefícios alcançados com o tratamento e deve, portanto, interrompê-lo? Será possível que a quimioterapia, apesar de já não conseguir reduzir o volume de doença, esteja desacelerando sua progressão e eventualmente proporcionando mais qualidade de vida? Não poderia a perda de benefício clínico real ocorrer com 30%, 50% ou até 80% de aumento?

Agora imagine que o mesmo paciente, após o início da quimioterapia, piore do ponto de vista clínico. Perde ainda mais peso, tem náuseas e vômitos intensos (possivelmente induzidos pelo tratamento) e mantém o quadro inicial de dor intensa. Porém, os exames de avaliação mostram aumento de apenas 10% no volume de doença, o que é interpretado como doença estável e, portanto, significa que devemos manter o tratamento (se o paciente estiver participando de estudo clínico, com certeza o tratamento será mantido). Isso parece correto? Se o tratamento consegue controlar o volume de doença, mas o faz à custa de comprometimento da qualidade de vida, ele deve ser considerado útil? Não deveria o paciente ter autonomia para decidir esse tipo de questão? São dúvidas a que não temos como responder hoje, pois o método científico que aplicamos a nossos estudos não deixa espaço para as respostas. Cabe a nós, porém, manter os questionamentos em mente ao acompanhar os pacientes. Os objetivos a alcançar têm muito mais que ver com eles do que conosco.

O outro desfecho substituto que está relacionado ao tempo e tem sido muito utilizado é a *sobrevida livre de doença* (SLD). Nós o empregamos para pacientes cuja intenção inicial era a cura pelo tratamento, minimizando as chances de recorrência da doença. A SLD mede o tempo decorrido até que ocorra a morte do paciente (por qualquer causa) ou a recorrência da doença que tinha sido eliminada. O problema aqui é a heterogeneidade de fatos que podem determinar esse tempo. Em seu livro, Vinayak Prasad nos dá ótimo exemplo, relacionado ao câncer de mama. Nesses casos, a SLD abrange vários fatos possíveis: o aparecimento de outro câncer invasivo primário da mama; novo diagnóstico de carcinoma de mama *in situ* (não invasivo, considerado lesão pré-maligna); a recorrência local do câncer de mama inicial; a recorrência a distância do câncer de mama inicial (doença metastática); ou a morte da paciente. Embora todos esses fatos determinem o tempo de SLD, eles obviamente não têm todos o mesmo impacto para as pacientes: a morte é por certo o pior desfecho, seguido da recorrência à distância; já o surgimento de um novo carcinoma *in situ* praticamente não afetará a vida delas. Assim, parece óbvio que determinado tratamento capaz de aumentar significativamente a SLD à custa de postergar a ocorrência de recidivas a distância bem mais interessante do que outro que consiga postergar quase exclusivamente o surgimento de carcinomas *in situ*. Apesar disso, é comum que os médicos atentem apenas ao ganho final da SLD, não se preocupando muito com os fatos que foram postergados com maior frequência pelo tratamento. O resultado é a prescrição indiscriminada de tratamentos (com seus custos financeiros e efeitos colaterais) para evitar ocorrências que pouco (ou nada) atrapalhariam a vida das pacientes. Se parece difícil, é porque é.

E não estamos considerando, ainda, a possibilidade de que os ganhos nesses desfechos substitutos não correspondam, no fim das contas, aos ganhos nos desfechos que realmente importam para os pacientes. Não são poucos os exemplos na literatura clínico-científica nos quais um medicamento que promovia ganho significativo da SLP se mostra incapaz de promover ganho no tempo total de vida. Um bom desfecho substituto é aquele que se correlaciona bem com o desfecho principal, mas infelizmente nem todos os desfechos substitutos cumprem bem esse papel (e os médicos nem sempre sabem disso).

Em 2014, publicou-se um estudo desafiador que analisava as drogas antineoplásicas aprovadas pela Food and Drug Administration (FDA), o órgão federal americano responsável pela segurança médico-sanitária no uso de novos medicamentos. O estudo avaliou todos os 71 medicamentos aprovados pela FDA em 2002-2014 para tratamento de tumores sólidos avançados.[16] Alguns se mostraram bastante efetivos, como os inibidores de Braf para melanoma maligno metastático. No entanto, ao considerarmos o conjunto todo de drogas, os ganhos medianos de SLP e de SG se mostraram bastante limitados (2,5 e 2,1 meses, respectivamente). Talvez o paciente que se encontre em situação desesperadora, percebendo a morte iminente, considere enorme alívio um ganho de dois meses, mas a interpretação desses dados não deve ser feita de forma tão simples. Em primeiro lugar, tais números se referem a medianas, o que significa que, na realidade, cerca de metade dos pacientes viveu menos de dois meses adicionais. Seria irresponsável (e até cruel) garantir a um paciente que ele viverá dois meses mais se utilizar o tratamento proposto. E, em segundo lugar, precisamos lembrar qual foi o custo desses eventuais meses adicionais, em termos não apenas financeiros, mas também – e sobretudo – da qualidade de vida.

Será que esses desfechos substitutos, mesmo que não tenham correlação direta com o aumento da sobrevida global, são capazes de melhorar a forma como os pacientes vivem? Em outras palavras: será que o fato de "adiarmos" a progressão da doença pode ter impacto positivo na qualidade de vida dos pacientes, mesmo que não haja aumento no tempo de vida? Dois grupos de pesquisadores avaliaram a relação entre os ganhos na sobrevida livre de progressão e os de melhora da qualidade de vida no cenário de doença metastática, e ambos os grupos concluíram que a correlação é insignificante[17,18]. Ou seja, ao utilizarmos a SLP como desfecho suficiente para indicar ou não um tratamento, corremos risco considerável de não estarmos oferecendo nenhum dos dois resultados que nossos pacientes gostariam de obter: mais tempo e uma vida melhor. Será que essa postura é mesmo o que os pacientes esperam de nós? A própria American Society of Clinical Oncology (Asco) vê com ressalvas os resultados dos estudos clínicos[19]. De acordo com critérios de relevância clínica elaborados por um grupo de trabalho da Asco, apenas 42% dos medicamentos aprovados resultariam em benefícios clinicamente significativos. Os números ficam ainda mais surpreendentes quando nos lembramos do estudo da dra. Marie Bakitas, citado no prólogo deste livro, que mostrou ganho superior a seis meses na sobrevida global mediana de pacientes com câncer quando eram encaminhados precocemente a equipes de cuidados paliativos – ou seja, obtemos mais benefícios envolvendo os pacientes nas decisões relacionadas ao tratamento e controlando bem seus sintomas do que lhes oferecendo a maioria dos medicamentos aprovados para tratar suas doenças[20]. É, no mínimo, intrigante. Para não dizer assustador.

O QUE FAZER COM ESSA SOPA DE INFORMAÇÕES?

A resposta certa não importa nada: o essencial é que as perguntas estejam certas.
Mário Quintana

Do ponto de vista da *slow medicine*, o processo de tomada de decisões precisa ser compartilhado entre médicos, pacientes e familiares. Isso significa que não apenas o profissional de saúde tem de capaz de compreender e interpretar criticamente os dados da literatura: os pacientes também podem – e devem – compreender o significado desses dados para que, tomando por base as próprias expectativas e valores, auxiliem o médico a encontrar a melhor estratégia. Talvez isso pareça utópico, mas está bem longe disso. Aqui, não estou falando de fornecer aos pacientes uma cópia dos principais estudos sobre o tratamento de sua doença e pedir que retornem após terem lido tudo. Isso seria não apenas inadequado e improdutivo, como também cruel. Mas alguns termos comumente usados pelos médicos ao explicar o que esperam do tratamento proposto podem ser compreendidos por quem não tem nenhuma formação na área de saúde, diminuindo a possibilidade de mal-entendidos e de expectativas pouco realistas. Trata-se de alinharmos nosso discurso, traduzirmos termos técnicos em outros mais corriqueiros e, principalmente, sermos honestos quanto a nossas expectativas, quer estejamos no papel de médicos, quer estejamos no de pacientes. A consistência da comunicação entre todos é o antídoto mais eficaz contra más decisões.

Tratar um câncer não significa, necessariamente, curá-lo. Em oncologia, os estudos com novos tratamentos podem ser elaborados com vários objetivos. Em alguns casos, buscamos verificar se o novo tratamento aumenta as chances de cura (entendemos *cura* como uma situação em que eliminamos por completo o câncer e ele nunca mais retorna à vida do paciente, permitindo que este tenha exatamente as mesmas chances de vida longa e plena que qualquer outra pessoa de sua idade e gênero que nunca tenha tido a doença)[21]. É o caso, sobretudo, de tumores diagnosticados logo no início de sua evolução ou de tumores muito sensíveis aos tratamentos oncológicos (algumas leucemias e linfomas, por exemplo). Em outros casos, o objetivo é avaliar se o novo tratamento consegue aumentar o tempo de vida dos pacientes, mesmo sem curá-los. Estamos falando dos cânceres em fase mais avançada, quando muitas vezes eliminar a doença não é viável e o tratamento oncológico se destina a controlá-la pelo maior tempo possível (é aqui que usamos o termo *sobrevida global*, a qual tentamos incansavelmente estender). Nessa situação, os médicos também podem avaliar alguns outros parâmetros que indicam o benefício do tratamento, como as *taxas de resposta* e o *tempo de sobrevida livre de progressão*. É o ponto em que costumam surgir mal-entendidos, como vimos pouco antes, em especial quando os dados de que dispomos são não especificamente de sobrevida global, mas dos desfechos substitutos, que podem representar coisas diferentes para o médico e para o paciente. Um exemplo: para o médico, *taxa de resposta* significa a probabilidade de o tratamento conseguir reduzir a quantidade de doença no corpo (ou de pelo menos estabilizá-la). Para o paciente, no entanto, a compreensão pode ser outra: ao ouvir que "a taxa de resposta é de 80%", ele talvez entenda que 80% são suas chances de se livrar da doença, o que é absolutamente irreal.

Para evitar esse tipo de confusão, é importante perguntar ao médico qual é o objetivo do tratamento que se está propondo. (Apenas perguntar se existe tratamento é muito pouco: quase sempre, a resposta será "sim".) A eliminação completa da doença é um objetivo realista? Ou estamos falando de uma situação em que a cura não é possível e tentaremos controlar a doença para viver mais tempo e com mais qualidade de vida? Esses questionamentos costumam ser dolorosos, tanto para o paciente e familiares quanto para o próprio médico, mas poderão evitar frustrações muito mais dolorosas no futuro, além de permitir uma organização mais realista da vida do paciente.

Uma vez estabelecido nosso objetivo em relação à doença, ganham espaço quatro perguntas que podem nos ajudar a tomar decisões melhores:

1. Um tratamento é realmente necessário?
2. Há outras opções?
3. Quais são os riscos de um tratamento como esse?
4. O que vai acontecer se não fizermos nada?

Para a oncologia sem pressa, são perguntas de ouro. Possibilitam que tanto o médico quanto o paciente façam uma pausa no turbilhão de informações para que o contexto fique mais claro. Essas perguntas funcionam como alerta para que não nos deixemos dominar pela ansiedade, pelo medo nem por expectativas irreais. Às vezes (muitas vezes), elas nos salvam do abismo.

VIESES...

Boas decisões são resultado da experiência,
e a experiência resulta de decisões ruins.
Mark Twain

Infelizmente, estamos falando de humanos e, portanto, de criaturas sujeitas a se deixar enganar por vieses – fatores que nos levam a conclusões ou interpretações distorcidas e, em consequência disso, a decisões incorretas. É o que acontece, por exemplo, quando somos tomados de emoções intensas. Imagine por um momento que sua mãe ou irmã tenha notado um caroço na mama direita. Ela procura o médico, faz exames, e a hipótese diagnóstica é um tumor benigno (um fibroadenoma), não sendo necessário tratamento algum. Ela vai para casa, mas não consegue dormir. Lembra-se de que a tia teve câncer de mama e acabou morrendo e de que duas amigas que tinham caroços nas mamas também tiveram final trágico. Apavorada, retorna ao médico, decidida a retirar a lesão. O médico tenta explicar que não há necessidade, mas em vão: diante de tanta angústia, realiza a cirurgia, que confirma tratar-se apenas de fibroadenoma. Isso é um viés de disponibilidade: quando a pessoa interpreta as situações baseada em suas emoções e experiências prévias, e não nos fatos.

Existem vários tipos de viés que podem afetar nossa compreensão e nossas decisões. O tratamento do câncer envolve pelo menos três categorias suscetíveis a essas distorções: os médicos; os pacientes e familiares; e a indústria farmacêutica. Médicos, pacientes e familiares tendem a ser muito influenciados por vieses cognitivos, ou seja, suas emoções e sua forma de pensar por vezes modificam a correta percepção da realidade, o que leva a desvios da lógica e da racionalidade. Já a indústria farmacêutica costuma ser bastante influenciada por vieses de interesse, em geral financeiros, quer imbuídos de más intenções, quer não.

É importante reconhecer esses vieses para que todos possamos tomar as decisões mais adequadas, em especial se tratando de doença complexa como o câncer. Com frequência, pacientes e familiares estão envolvidos por toda a carga emocional do diagnóstico e compreendem a situação com demasiado otimismo ou pessimismo. Sim, isso é um grande problema, em especial se as informações lhes forem oferecidas de forma irresponsável ou maldosa. Exemplo bem claro disso foi o desconcertante episódio da fosfoetanolamina, em 2015. A "pílula do câncer", como ficou conhecida, tinha sido desenvolvida pelo químico Gilberto Chierice, da Universidade de São Paulo (USP), campus de São Carlos, no final dos anos 1980, após alguns testes realizados em animais. O químico distribuiu a fosfoetanolamina a pacientes oncológicos durante anos, alegando ter descoberto a cura para o câncer. Em 2015, ao constatar que a droga não fora submetida aos estudos clínicos necessários para administração em seres humanos, a Agência Nacional de Vigilância Sanitária (Anvisa) proibiu Chierice de produzi-la e distribuí-la, provocando a revolta de pacientes e familiares. A comoção, em nível nacional, atingiu patamares sem precedentes. Pacientes com câncer avançado, desesperados pela obtenção da cura milagrosa para uma doença cruel e mortal, estavam convencidos de que a substância lhes estava sendo negada por motivos torpes (financeiros ou políticos), crença esta fortalecida pela fala do próprio Chierice. Depoimentos emocionados de pacientes eram disseminados nas redes sociais e na imprensa, relatando a cura após o uso da fosfoetanolamina. Familiares, transtornados pela dor e pelo sofrimento, relatavam a perda de entes queridos que não tiveram acesso à droga. Muitos venderam bens e adquiriram dívidas para conseguir as cápsulas milagrosas, fosse comprando-as de maneira ilegal, fosse importando-a de outros países, onde a "fosfo" era vendida como suplemento vitamínico. Médicos, pesquisadores e a Associação Médica Brasileira (AMB) tentavam em vão explicar que, para a segurança dos próprios pacientes, era necessário realizar estudos clínicos bem-feitos antes de aprovar o uso de medicamentos em humanos. Aqueles que se posicionavam publicamente contra a liberação do uso da droga eram massacrados nas redes sociais, recebendo acusações de todo tipo e até ameaças de morte. Em 2016, a pressão popular foi tamanha que a então presidente, Dilma Rousseff, sancionou projeto de lei que liberava o uso da fosfoetanolamina para tratar todos os tipos de câncer, lei depois vetada pelo Supremo Tribunal Federal.

Diante de tamanha confusão, o Instituto do Câncer do Estado de São Paulo (Icesp) iniciou estudo clínico para avaliar de forma objetiva a eficácia e a segurança da fosfoetanolamina. Dos 72 pacientes envolvidos no estudo, 59 completaram os dois meses de tratamento propostos com a substância. Apenas um destes, portador de melanoma, apresentou redução no tamanho do tumor (atribuída possivelmente à própria natureza da doença, pois na literatura há vários relatos de regressão espontânea de melanomas, ou mesmo ao chamado *efeito placebo*, quando a doença regride mesmo que nenhum tratamento tenha sido administrado). Em face disso, a iniciativa do Icesp foi interrompida precocemente, tendo-se considerado que seria antiético envolver mais pacientes em estudos com um medicamento cujo sucesso era improvável. No entanto, a enorme angústia dos usuários, o desgaste emocional de todos os envolvidos e os prejuízos financeiros (para pacientes, familiares e Estado) nunca serão apagados e deixam sequelas até hoje.

É compreensível que pacientes e seus familiares, sob o forte impacto emocional causado pela doença e sem compreender a importância dos estudos clínicos com medicamentos, acreditem em promessas e dados de procedência duvidosa. Quanto mais grave a situação, maior o risco de essa crença consolidar-se. O pavor que a possibilidade de morrer nos causa justifica qualquer tipo de crença, mesmo as mais estapafúrdias, e é justamente nesse ponto que ficamos expostos a riscos. O medo e a incerteza turvam nossa visão da realidade. Eles nos tornam perigosamente irracionais.

Mas o risco de agir de modo irracional por causa do medo ou da incerteza atinge também os profissionais da saúde e pode ter impacto importante quando oferecem esta ou aquela estratégia de tratamento. Médicos são particularmente suscetíveis a vieses quando precisam tomar decisões. Em 2016, uma revisão da literatura sobre o assunto revelou que a grande maioria dos médicos está exposta seja a vieses relacionados a traços de personalidade (como a baixa tolerância ao risco ou a aversão à incerteza), seja a vieses cognitivos (autoconfiança excessiva ou ilusão de controle), e que tais tendências podem induzir a erros diagnósticos e condutas inadequadas e até comprometer o prognóstico dos pacientes[22]. Identificar a influência desses vieses sobre nós não é tarefa fácil, mas é possível e necessária. Nisso, precisamos lançar mão do princípio mais essencial da *slow medicine*: o tempo. É absolutamente essencial termos tempo para compreender o paciente e sua doença, organizar as informações disponíveis, analisá-las à luz do bom senso e nos mantermos atentos à possibilidade de estarmos nos deixando envolver por aqueles vieses. Considerando que, em oncologia, lidamos com cenários extremamente complexos do ponto de vista biológico, emocional e financeiro, esse tempo reservado à compreensão e ao raciocínio não é nem de longe um luxo: ele é a base para uma condução minimamente adequada do caso. Simples e complicado assim. Em primeiro lugar, estamos lidando com centenas de doenças diferentes batizadas com o mesmo nome – *câncer*. É nossa obrigação reconhecer que o que se aplica aqui não se replica acolá, em especial por lidarmos com procedimentos potencialmente mutiladores e com medicamentos tóxicos e até letais, cujos efeitos colaterais podem superar (muito) os desconfortos da doença. Em segundo lugar, posturas pouco racionais, associadas a nossa incapacidade de controlar nossos receios, são exatamente o que os pacientes não esperam de nós. É justamente porque estão sucumbindo ao medo e à incerteza que eles precisam de nossa capacidade de colocar o trem nos trilhos. Oferecer estratégias mirabolantes com pouco (ou nenhum) potencial de levá-los em segurança até o destino que desejam é irresponsável e cruel. Na verdade, pode ser quase charlatanismo, em especial nos casos em que indicamos um tratamento mesmo tendo plena consciência dos resultados pífios de alguns estudos clínicos (ainda que isso seja motivado por piedade, continua sendo uma forma de enganação). É bem mais honesto ajudá-los a compreender quando o destino que esperam não está disponível, para que possam reprogramar a viagem. Além disso, por vezes, fazer *mais* é fazer *demais*. E *demais* é tão ruim quanto não fazer o suficiente, com o dano adicional de soterrar pacientes e familiares em expectativas irreais, causando frustração e sofrimento.

Por fim – e isto é muito importante –, é nossa responsabilidade avaliar os prejuízos que nossas condutas podem causar para além daqueles decorrentes da própria doença. Falo aqui dos prejuízos para toda uma comunidade de pessoas, comunidade na qual nós mesmos nos incluímos e cujos recursos são finitos e não devem ser desperdiçados. São não apenas os recursos financeiros, obviamente importantes, mas também os humanos, emocionais e sociais. Enquanto uma enfermeira utiliza seu tempo para administrar uma droga que não trará benefícios a um paciente, ela não pode estar ao lado de outro que precisa de mais tempo de cuidado. Enquanto um paciente na fase final de vida está preso ao respirador aguardando o fim, outro morre no pronto-socorro sem acesso ao suporte ventilatório de que precisava. As escolhas dos profissionais de saúde são inúmeras e acontecem o tempo todo. Várias delas são difíceis, às vezes dolorosas e até impossíveis. Mas oferecer qualquer coisa a nossos pacientes oncológicos em nome de "lutar até o fim pela vida deles" transforma nossas escolhas em instrumentos cruéis que escondem nossa falta de empatia e de responsabilidade com o próximo. Nossa racionalidade é o que salva vidas, não nosso medo de lidar com o que é incerto. E também é ela o que alivia a alma quando a vida não pode ser salva. A racionalidade é nossa principal ferramenta de trabalho. Abrir mão dela, por qualquer pretexto, é um viés a que não podemos nos dar ao luxo de sucumbir.

Infelizmente, há ainda outro viés comum na oncologia: o financeiro. Questões relacionadas à lucratividade deste ou daquele tratamento afetam tanto os oncologistas quanto a indústria farmacêutica. O próprio formato dos estudos clínicos das medicações que usamos é muito influenciado pelos ganhos financeiros que elas poderão proporcionar a quem as fabrica e comercializa, e tal cadeia envolve os médicos que prescreverão a droga, ali no consultório, com o paciente a sua frente. Infelizmente, alguns desses médicos não são movidos por objetivos que poderíamos chamar de nobres. No entanto, a maioria gostaria mesmo de ajudar os pacientes a obter o melhor resultado possível e mostra-se bastante suscetível aos apelos da indústria.

Não cabe aqui uma incursão profunda no mundo da indústria farmacêutica, das políticas financeiras, das estratégias de vendas etc., mas é importante ter em mente que se trata de um nicho de mercado bilionário e extremamente complexo, no qual não existe opção que não seja obter lucros com as drogas que chegam ao mercado. É questão de sobrevivência da indústria, independentemente de suas boas (e às vezes nem tão boas) intenções quanto aos benefícios reais que os produtos trarão aos pacientes. Assim, incontáveis subterfúgios são utilizados para garantir que médicos e pacientes percebam determinado medicamento como "revolucionário", "transformador", "milagroso" ou "sem precedentes". São termos ouvidos quer nos congressos médicos de oncologia, quer nos corredores dos hospitais, nos consultórios, na mídia e em tantas outras formas de disseminação da informação. A questão é que esses termos, e muitos outros, são utilizados com base em critérios bastante questionáveis do ponto de vista científico – e até cognitivo[23]. A palavra inglesa para isso é *hype*, algo como *propaganda exagerada*, que infelizmente é tão comum quanto difícil de avaliar. Pode envolver artigos científicos publicados para "disfarçar" resultados pouco satisfatórios – por exemplo, se os resultados do desfecho primário do estudo foram negativos, desvia-se a atenção para resultados secundários, que não estavam previstos mas foram garimpados durante a análise dos dados para que se encontrasse algo positivo para mostrar. É o que chamamos de "espremer os dados até que eles confessem". Médicos são muito, mas muito ruins em detectar esse tipo de estratégia. A contratação de oncologistas de renome para apresentar estudos em eventos ou publicações é outra maneira eficaz de disseminar resultados positivos. Sim, tais oncologistas estão sujeitos a vieses, não apenas ao evidente viés financeiro, mas também a vieses cognitivos que os deixam demasiado otimistas com os resultados. Muitos são bem-intencionados, mas não é incomum vê-los propagar dados duvidosos que foram interpretados de modo tendencioso por eles próprios. É mesmo muito difícil separar o joio do trigo quando falamos de tratamento do câncer. Às vezes, é simplesmente impossível.

Estação 3 – Comprometimento

Precisamos de uma força-tarefa aqui.
L. M. O., irmão

Diagnóstico de câncer não é coisa simples de lidar. Trata-se de uma doença complexa, que exige a realização de diversos exames antes mesmo que qualquer tratamento seja iniciado. E, em geral, são exames bem específicos, dos quais o paciente e a família nunca ouviram falar. Nomes estranhos como *marcadores tumorais*, *PET-scan*, *biópsia por congelação*, *linfonodo-sentinela* ou *estudo imuno-histoquímico* invadem o dia a dia do paciente e se tornam parte de sua rotina. Até aqueles que já vivenciaram um diagnóstico de câncer (e até os que são médicos) costumam ter dificuldade para compreender todos os procedimentos necessários, bem como os motivos para realizá-los. Somem-se as questões burocráticas que envolvem tais procedimentos (autorizações do convênio médico, relatórios, agendamentos de exame, consultas com outros especialistas etc.). Organizar tudo isso no curto período que em geral é aceitável para iniciar o tratamento não é tarefa impossível de realizar pelo paciente, mas é improvável que ele seja capaz de executá-la sozinho com tranquilidade. Mesmo quando há um cônjuge ou filho mais próximo que assume parte das tarefas, o impacto emocional do diagnóstico sobre eles pode tornar todo o processo penoso e confuso.

As primeiras consultas com o oncologista foram bastante desafiadoras. Seu Newton tinha 68 anos e um câncer de próstata avançado recém-diagnosticado. Era uma situação inédita em sua vida: não havia casos de câncer na família, e não se lembrava de amigos que tivessem lidado com a doença. Portanto não reconhecia grande parte dos termos utilizados pelo médico para explicar os próximos passos: cintilografia óssea, exame de PSA, bloqueio hormonal central com injeções, radioterapia antálgica da coluna. Para ele, o médico estava falando grego. Seu Newton saía das consultas e, na mesma hora, ligava para o filho, João Pedro, que morava em outra cidade. O pai não conseguia explicar quase nada do que estava sendo programado. João perguntava se o médico tinha solicitado exames, e seu Newton respondia: "Parece que sim, tem um monte de papéis que ele me deu". Perguntava sobre o tratamento, e seu Newton: "Essa parte não entendi muito bem. Parece que ele falou que vou receber uns raios X na coluna". João Pedro pedia que o pai repetisse as palavras do médico sobre o prognóstico e chances de cura, e ele: "Ah, filho, acho que ele vai fazer tudo pra me curar, né? Não é isso que os médicos fazem?"

Após duas ou três consultas, João compreendeu que tudo aquilo era complexo demais para o pai. Entrou em contato com o tio Laurindo, irmão mais novo de seu Newton que morava bem perto dele, e pediu-lhe que tentasse acompanhá-lo na consulta seguinte. Assim foi feito. Laurindo esclareceu ao máximo com o médico as questões relacionadas ao diagnóstico – o fato de terem sido diagnosticadas metástases na coluna, a necessidade de radioterapia para estabilizar as lesões, o tratamento hormonal com intenção paliativa, os efeitos colaterais, a programação de novos exames para avaliar a eficácia do tratamento. Anotou cada informação importante e depois confirmou com a secretária do médico cada procedimento a agendar, o local da radioterapia e a data de aplicação da primeira injeção. Após as horas dedicadas a entender tudo isso, Laurindo estava exausto. Ligou para o sobrinho, explicou resumidamente tudo o que tinha entendido e concluiu:

"João, acho que vamos precisar de uma força-tarefa aqui".

O comprometimento tanto de outros familiares como dos amigos passa a exercer papel importante. Infelizmente, é comum que as pessoas (sobretudo aquelas que não são do núcleo familiar) sintam-se pouco à vontade para oferecer ajuda. Além disso, o próprio paciente pode ficar constrangido em aceitá-la. Como saber até que ponto a ajuda é necessária? A partir de que ponto ela está sendo invasiva ou constrangedora? Como avaliar se estamos pedindo demais? Ou de menos?

O fato é indiscutível: quando se trata de câncer, toda ajuda é bem-vinda. Aqui, estamos falando de algo que, muitas vezes, a pessoa que está doente nunca vivenciou: *vulnerabilidade*. Uma vulnerabilidade escancarada e até cruel. Quanto mais grave for a doença, mais ajuda e apoio serão necessários. Há também muitas dimensões do cuidado que podem ser estabelecidas – do cuidado diário propriamente dito, como alimentação, medicamentos, organização do ambiente etc. a uma ajuda mais pontual (por exemplo, ficar com as crianças nos dias de quimioterapia). O apoio pode ser até esporádico ("Deixe que eu levo o cachorro ao veterinário – não se preocupe"). De maneira geral, o essencial é ter mesmo vontade de se envolver. O grau desse envolvimento varia de acordo com a necessidade (do doente) e a disponibilidade (de quem ajuda).

A TEORIA DOS CÍRCULOS

A gente espera do mundo/ e o mundo espera de nós.
Lenine

Um ponto importante é o nível de envolvimento de cada pessoa nas tarefas a executar. É comum que as mais próximas sintam-se responsáveis por organizar tudo e, em pouco tempo, estejam sobrecarregadas e estressadas. (Pouco tempo mesmo: às vezes, algumas semanas são suficientes para um colapso emocional.) Até quando diversas pessoas estão disponíveis para formar uma rede de apoio, não é infrequente que a mesma tarefa seja assumida por várias delas, criando uma confusão logística e mantendo a sobrecarga das poucas pessoas mais próximas. Isso acontece, por exemplo, quando todos se preocupam em ligar para saber como foi a última consulta mas ninguém se oferece para fazer uma compra no mercado.

A questão é que todos os que estamos menos diretamente envolvidos vemos com o mesmo nível de prioridade as tarefas a realizar: é muito mais importante oferecer apoio emocional do que levar as compras do mês. Não podemos esquecer que as prioridades, contudo, não devem ser as nossas. São as da pessoa doente e das pessoas diretamente afetadas pela doença. É preciso dar espaço.

Há um modelo deveras interessante que pode ajudar a compreender em que ponto da rede de apoio estamos e com que tipo de coisa devemos nos preocupar. É o que chamamos de *teoria dos círculos*, construída por dois americanos, a psicóloga clínica Susan Silk e seu amigo Barry Goldman.[24] Imagine (ou desenhe) um círculo e coloque bem no centro o nome de quem está doente. É a pessoa que está no centro da crise e, portanto, a mais afetada. É quem tem prioridade absoluta na resolução dos problemas e no apoio necessário. Tem o direito de dizer o que sente ou pensa, pode chorar e reclamar quando sentir necessidade e deve ser acolhida por todos os outros nesses momentos. Deve, ainda, ser poupada de ouvir reclamações, a não ser que ela própria se sinta útil ao escutar os outros.

Em seguida, coloque em volta do primeiro círculo um círculo de diâmetro um pouco maior. Nele, insira as outras pessoas mais diretamente afetadas pela crise. Podem ser o cônjuge, os filhos, os pais ou aqueles que têm relação de fato íntima com a pessoa doente (isso independe de haver laços de parentesco; talvez envolva cuidadores de muitos anos ou amigos de longa data que convivem de forma bem próxima). Essas pessoas devem priorizar as necessidades da pessoa enferma, de si e de ninguém mais. Isso significa que, se você está inserido no segundo círculo, não tem obrigação de se preocupar com as necessidades de quem esteja fora dele. Sua atenção deve se voltar sobretudo para o centro do círculo e para aqueles que estão com você ali dentro.

Insira então mais um círculo, maior que o segundo. Nele estarão pessoas que, embora próximas, não são afetadas tão diretamente pela crise: amigos, parentes mais distantes, colegas de trabalho, vizinhos ou pessoas da igreja, por exemplo. Se você está nesse grupo, sua prioridade é apoiar as pessoas do segundo círculo e as necessidades delas. Seu olhar deve ser direcionado para elas: se estão sem tempo para ir ao mercado ou à farmácia, se sabem dirigir, se precisam de ajuda financeira ou de alguém que organize a agenda, se conseguem levar o cachorro para passear, se precisam ser ouvidas (esse último ponto é inacreditavelmente importante).

Trace tantos círculos quantos forem necessários. Vai depender da extensão das relações cultivadas pela pessoa doente e pela família (às vezes, apenas o segundo círculo já fecha a teoria). O mais importante é que, fazendo esse pequeno exercício (de cabeça ou numa folha de papel), enxergamos quem são aqueles pelos quais somos responsáveis e assumimos a tarefa de protegê-los, respeitar sua dor e oferecer o apoio de que precisem. Caso estejamos num círculo bem distante do centro, é recomendável avaliarmos com sinceridade se nosso interesse em ajudar é genuíno ou se apenas alimenta nosso ego e nossa necessidade de mostrar ao mundo quanto somos benemerentes. Nesse último caso, é melhor cair fora. Não há espaço para autopromoção.

Por mais próximo que você seja do doente, há ainda a possibilidade de que não conheça algumas pessoas que estão bem presentes no dia a dia dele. Procure conhecer pelo nome os funcionários do prédio onde ele mora, por exemplo, informando-se inclusive sobre seus horários de trabalho e o tipo de relacionamento que mantêm com a pessoa. Zeladores, porteiros e funcionários da limpeza podem auxiliar de bom grado em muitas coisas, de fazer pequenas entregas a chamar os parentes em caso de emergência. Conheça os lugares mais frequentados pela pessoa doente, onde compra alimentos, quem é o rapaz da quitanda que costuma atendê-la, quem são os vizinhos mais próximos ou os membros da comunidade religiosa que porventura frequente. Toda essa rede de relacionamentos é importante quando alguém adoece e mostra-se útil em vários momentos. Vale a pena manter contato com eles e conhecer sua disponibilidade e sua vontade de oferecer ajuda. Em geral, eles próprios ficam felizes em poder ajudar.

NA PRÁTICA, A TEORIA É OUTRA

A prática sem a teoria é falha; a teoria sem a prática é morta.
Ana Carolina

Durante o tratamento oncológico, os aspectos práticos, embora subestimados com frequência, estão entre os mais desafiadores. Muitas vezes, as perguntas sobre as chances de cura e os efeitos colaterais do tratamento invadem o tempo das consultas médicas, não sobrando espaço para as questões relacionadas à logística de tudo isso. Mas são justamente essas as questões que permearão os dias do paciente e da família.

É boa ideia anotar suas perguntas para levá-las à consulta com o oncologista. Isso evita que assuntos importantes sejam esquecidos e ajuda a fazer um planejamento. Nesse ponto, porém, há ressalvas a fazer, e uma delas se relaciona ao tempo. O primeiro princípio da medicina sem pressa diz justamente respeito àquele grande aliado, que é também grande obstáculo – porque, infelizmente, nosso tempo é finito. Seria ingênuo imaginarmos que teremos todo o tempo do mundo para tirar dúvidas com os médicos, ainda mais nos dias de hoje. O tempo é escasso não apenas para o médico, mas também para pacientes e familiares. Assim, é essencial utilizá-lo de maneira inteligente e produtiva, o que significa preparar-se para as consultas. Selecione as perguntas que são prioridade no momento, aquelas cujas respostas serão cruciais para os passos seguintes. Separe algumas questões menos importantes, que poderão ser feitas “se houver tempo”. Muitas dúvidas poderão ser esclarecidas (até com mais propriedade) por outros profissionais, como as relacionadas a documentos e formulários (secretárias), armazenamento e administração de medicamentos (farmacêuticos), cuidados com a pele, cateteres, sondas ou curativos (enfermeiros) ou questões emocionais (psicólogos). Nada impede que sejam discutidas com o médico, e é mesmo recomendável que o sejam; mas, se a escassez de tempo for fator limitante, envolver os outros profissionais é ótima estratégia para um bom cuidado (na verdade, envolvê-los é ótima estratégia em qualquer cenário cronológico).

Lembre-se, ainda, de que os tratamentos oncológicos atuais são em geral prolongados, permitindo que o relacionamento entre pacientes, familiares e profissionais da saúde seja mais horizontal, isto é, se construa ao longo do tempo em diversas situações. Questões não resolvidas neste ou naquele momento poderão ser abordadas em outra ocasião. Apenas não as perca de vista. Estão disponíveis ótimos materiais com perguntas que podem ser importantes e só costumam ser lembradas fora das consultas médicas. Um bom exemplo é o *e-book* compilado por Simony Andrade Nunes – ela própria paciente de câncer de mama metastático –, intitulado *E agora, doutor?;* o livro, gratuito, pode ser baixado gratuitamente (@simonyandrade, no Instagram) e traz uma lista com as perguntas fundamentais que devem ser feitas no decorrer do tratamento. As respostas às questões mais frequentes são também disponibilizadas por várias fontes institucionais confiáveis, como o Instituto Oncoguia (http://www.oncoguia.org.br) ou os sites institucionais do próprio serviço onde o paciente é assistido.

Outra atitude que pode fazer grande diferença é criar uma rede profissional auxiliar. No decorrer da doença e do tratamento, possivelmente muitos profissionais serão apresentados a vocês (ou sugeridos por amigos e outros pacientes). Enfermeiros, psicólogos, assistentes sociais, nutricionistas, capelães, fonoaudiólogos, fisioterapeutas, odontologistas e vários outros costumam fazer parte da rede de atendimento a pacientes oncológicos. Manter um bom relacionamento com eles é excelente estratégia para ter sempre à disposição informações importantes e cuidados mais integrados.

Cabe, porém, ressaltar dois pontos.

O primeiro é a necessidade de compreender que o sistema de saúde atual nem sempre é integrado. Isso significa que as informações relacionadas ao diagnóstico, tratamento e planejamento nem sempre são compartilhadas entre todos os profissionais de saúde envolvidos no cuidado (na realidade, o compartilhamento de informações é mais exceção do que regra, não apenas no Brasil, mas no mundo todo). Um procedimento indicado pelo odontologista, por exemplo, pode acarretar riscos ao tratamento oncológico específico que se está administrando, ou talvez a abordagem adotada pelo psicólogo esteja em total discordância com a situação real do paciente. Muitas vezes, cabe ao próprio paciente (ou a seus familiares) promover ao máximo a interação entre os profissionais. Solicitar que entrem em contato uns com os outros (mesmo que o façam apenas por relatórios escritos ou mensagens de celular) é uma boa forma de fazer isso. Profissionais que estão empenhados em melhorar a vida dos pacientes não costumam se opor a compartilhar informações, discutir estratégias nem "dividir as angústias" com outros colegas. Na maioria das vezes, aliás, esse tipo de rede profissional integrada lhes traz alívio e segurança. Não hesite em movimentar-se para uni-los uns aos outros.

Dona Paulina, simpática senhora de 62 anos, chegou ao consultório do cardiologista para uma consulta de rotina e queixou-se de dores nas articulações das mãos e punhos. Elas vinham de três meses e estavam dificultando seu crochê. Ao exame das mãos, o médico percebeu que dona Paulina sentia uma dor discreta à palpação das pequenas articulações, sem sinais inflamatórios. Preocupado, solicitou hemograma, provas de atividade inflamatória, função renal e radiografias de mãos e punhos.

Os exames laboratoriais foram todos normais, porém. As radiografias mostraram discreto aumento da densidade óssea nas articulações do segundo e terceiro dedo da mão direita. Dona Paulina foi então encaminhada ao ortopedista, que fez diagnóstico de osteoartrose, receitando anti-inflamatório e fisioterapia. A dor melhorou durante o uso das medicações, mas com sua interrupção o quadro voltou a ocorrer. Após dois cursos de anti-inflamatórios, a paciente começou a sentir dores de estômago, e o cardiologista a medicou com omeprazol, seguindo a hipótese de gastrite medicamentosa. Embora as dores no estômago melhorassem, dona Paulina continuou se queixando de dores articulares. O médico então sugeriu que procurasse um reumatologista.

Durante a história clínica, o reumatologista descobriu que ela fora acometida de câncer de mama, tendo sido operada. Devido à doença, estava em uso de anastrozol havia cinco meses. Dona Paulina se lembrou de que o oncologista tinha mesmo avisado que o remédio poderia causar dores nas articulações. Mas, como o sintoma estava incomodando muito, ela havia achado melhor ver se não tinha mais nada de errado.

Uma pesquisa rápida na internet trouxe ao médico a informação de que dores e enrijecimento de pequenas articulações estão entre os efeitos colaterais comuns do anastrozol. Ele orientou a paciente sobre a causa das dores, tranquilizando-a. Prescreveu um analgésico simples, para o caso de a dor incomodar muito, e sugeriu que dona Paulina mobilizasse as articulações várias vezes ao dia, para minimizar a ocorrência da dor. Por fim, pediu que retornasse ao oncologista para avaliar a necessidade de mudanças no tratamento.

Ainda que aliviada, dona Paulina não deixava de pensar nos exames desnecessários que tinha feito e nos efeitos colaterais a que tinha sido exposta sem necessidade.

O outro aspecto a considerar é que, assim como profissionais de saúde não compartilham espontaneamente informações entre si, também os serviços de urgência/emergência não costumam ter acesso a informações de outros hospitais nem das clínicas oncológicas. Caso um paciente em tratamento oncológico necessite de atendimento de urgência, é provável que o médico de plantão tenha disponíveis apenas as informações que lhe foram trazidas pelo próprio paciente ou pela família, as quais podem ser imprecisas e até equivocadas. Por isso, é ótima ideia pedir ao oncologista que faça um relatório médico com seu diagnóstico, situação da doença, tratamentos recentes e até possíveis complicações. O relatório poderá ser atualizado de modo periódico. Mantenham-no sempre com vocês.

Alguns serviços oncológicos disponibilizam aos pacientes cartões com o tratamento que vem sendo realizado e as datas de administração dos medicamentos, por exemplo. Da mesma forma que o relatório feito pelo oncologista, esses cartões devem ser sempre levados aos serviços de emergência. Pedir ao médico que oriente para onde levar o paciente em caso de urgência também facilita o caminho.

Outra boa ideia é organizar uma lista dos medicamentos em uso, com as dosagens e forma de administração, e acrescentar os nomes e telefones das pessoas que, em caso de urgência, devem ser avisadas de imediato. Algo simples como:

- Manhã: omeprazol 20 mg (1 comprimido)
anlodipino 5 mg (½ comprimido)
- Almoço: metformina 500 mg (1 comprimido)
- Jantar: metformina 500 mg (1 comprimido)
sinvastatina 20 mg (1 comprimido)

- Em caso de urgência, ligar para:
  Marcos (filho), (__) _____-____

A lista deve ser mantida sempre atualizada e colocada em local de fácil acesso, para, numa emergência, ser levada junto com o paciente ao serviço de saúde. Pode ser impressa e afixada na porta da geladeira, por exemplo, mas é boa ideia mantê-la também no celular, de onde poderá ser acessada com facilidade e enviada à equipe de saúde. Essa providência simples aumenta a segurança, evitando que medicações incorretas ou inadequadas sejam administradas no hospital. Tais atitudes fazem grande diferença em caso de intercorrências.

Um último aspecto que se mostra importante no cultivo de uma rede profissional é o exercício da gratidão. Faça que os profissionais que prestam atendimento dedicado e atencioso saibam que o esforço deles é valorizado. O trabalho técnico que exercem é obrigação, sim, mas a forma como se dedicam a ele é algo que pode – e deve – ser reconhecido. Seja grato. A gratidão costuma gerar frutos que dinheiro nenhum pode pagar.

DA PRIMAVERA AO OUTONO

Não haverá borboletas se a vida não passar por longas e silenciosas metamorfoses.
Rubem Alves

O tratamento oncológico é um mundo à parte, assim como a experiência de conviver com a doença. Nesse cenário, comprometer-se significa compreender que mudanças são inevitáveis e que precisaremos lidar com elas da melhor forma possível. Em *My mother, your mother*, Dennis McCullough descreve essa fase de forma delicada e precisa:

> Para um idoso, a Estação do Comprometimento implica vulnerabilidade em circunstâncias de transição. Sentimos as mudanças no cenário; ao mesmo tempo, desejamos que ele não se modifique. Resistimos a abandonar essa confortável sensação que os padrões, hábitos e modos de vida familiares nos proporcionam. A maioria dos idosos resiste a mudar sua rotina[...] mesmo quando "o gelo está fino e traiçoeiro".[25]

Tal resistência a reconhecer uma nova condição de vida e adaptar-se a ela se aplica muito bem a pacientes com câncer e seus familiares. É ainda mais óbvia quando o paciente tem uma vida ativa e independente, e a resistência chega a ser gritante quando estamos lidando com pacientes mais jovens. Mesmo quando os sinais são claros (como a perda progressiva de peso, a palidez, o aspecto mais cansado ou os comentários depressivos), é por vezes necessário que ocorra uma situação aguda de desequilíbrio na rotina para que a consciência sobre a nova realidade desperte e os novos limites sejam reconhecidos.

Maria tinha pouco mais de 40 anos e recebia tratamento para um sarcoma avançado havia cerca de dezoito meses. As coisas não vinham bem já fazia algum tempo. Apesar da quimioterapia, tinham aparecido novas metástases nos pulmões e no fígado. Maria não sentia vontade de comer praticamente nada, e não era difícil perceber sob a camiseta a saliência de suas costelas. Vinha às consultas sempre sozinha, dizendo que não queria incomodar a mãe nem a irmã, que tinham rotinas atribuladas. Mesmo assim, insistimos em que as duas comparecessem a uma consulta para que pudéssemos ajudá-las a organizar os cuidados com Maria, que iam ficando cada vez mais complexos.

Ambas compareceram duas semanas depois, trazendo Maria em cadeira de rodas. Pareciam um pouco ansiosas e já iniciaram a consulta falando sobre como Maria era forte e descrevendo como estava lutando com coragem contra o câncer. Falavam animadamente sobre tudo ser apenas uma fase ruim, que logo acabaria, e estavam otimistas com o começo do novo esquema de quimioterapia. Maria mantinha os olhos baixos.

Revisamos com elas toda a história da doença de Maria até os resultados recentes. Falamos sobre o tratamento, que vinha se tornando cada vez mais difícil e menos eficaz. A mãe e a irmã foram ficando quietas, ao passo que Maria parecia mais aliviada. Quando perguntei se tinham notado o emagrecimento e a falta de energia de Maria nos últimos meses, a irmã respondeu:

"Sim, claro – mas é normal perder um pouco de peso com a quimioterapia, né, doutora? E a quimioterapia deixa as pessoas um pouco mais debilitadas mesmo. É normal".

O "pouco de peso" a que se referia era cerca de 22 quilos. A "discreta debilidade" de Maria a impedia de realizar as tarefas mais básicas do dia a dia, como tomar banho sozinha ou fazer uma sopa. Nem a mãe nem a irmã conseguiam perceber o processo da doença de Maria, tão evidente aos olhos de qualquer um, e continuavam encontrando explicações mais otimistas para tudo, por menos realistas que estas fossem. A dor tinha lhes embaçado os olhos para proteger o coração.

É como se uma grande peneira tivesse sido colocada diante do sol. Não se fala sobre as roupas visivelmente mais largas; não se comenta sobre a casa obviamente negligenciada; medicamentos não são checados nem organizados; e explicações simplistas (e até esdrúxulas) são logo aceitas como plausíveis. Com frequência, mantém-se silêncio sobre tais situações até que um médico (ou a deterioração séria na saúde da pessoa) as traga à luz, e aí se faz uma avalanche de modificações às pressas. Culpam-se uns aos outros, remorsos dominam familiares e amigos, e instala-se uma grande (e improdutiva) sensação de mal-estar.

Por vezes ocorre também o movimento inverso: a partir do momento em que o diagnóstico de câncer chega, o paciente é praticamente interditado pela família, perdendo de imediato a autonomia e a capacidade de decidir.

Seu Henrique era advogado e tinha 70 anos. Viúvo havia três, mantinha uma vida independente e ativa. Agora morava sozinho na casa onde passara os 45 anos anteriores. Nunca tivera nenhuma dificuldade por ali: conhecia todos os vizinhos, o padeiro, o farmacêutico, as caixas do supermercado, o rapaz que entregava o jornal. Mas surgiu em sua vida o diagnóstico de mieloma múltiplo, e com ele vieram as inúmeras preocupações que os três filhos explicitaram durante uma reunião familiar, realizada pouco após a consulta com o hematologista.

A lista de complicações que a doença poderia trazer era longa. Poderiam ocorrer fraturas ósseas, inclusive na ausência de quedas, como no caso do idoso (citado pelo médico) que quebrou os dois úmeros enquanto estendia roupa no varal. A insuficiência renal causada pela doença também preocupava, e seu Henrique precisaria ter a hidratação muito bem controlada para que os rins fossem preservados. Infecções, sangramentos, confusão mental relacionada à elevação do cálcio, náuseas induzidas pelo tratamento, constipação intestinal – seu Henrique, entre assustado e incrédulo, ouvia em silêncio. Não sentia que o corpo estivesse tão doente assim e gostaria de manter a rotina de vida atual pelo maior tempo possível. Mas, ao ver o semblante preocupado dos filhos e todas as justificativas que apresentavam para a imediata mudança na rotina de toda a família, não conseguiu se manifestar.

Constrangido e contrariado, aceitou resignadamente a decisão de se mudar para a casa da filha mais nova, num bairro distante do seu, mas bem próximo do hospital de referência para urgências oncológicas. Aceitou também a venda de sua casa, o acesso dos filhos a seus dados bancários, a contratação de um enfermeiro no período diurno para que não ficasse sozinho enquanto a filha estivesse no trabalho. E assim, quase da noite para o dia, seu Henrique foi arrancado da vida que compreendia como sua para viver uma da qual não sabia nada e em que sua opinião pouco tinha valor. Seu corpo estava seguro e amparado, mas sua essência tinha se perdido em algum ponto do trajeto percorrido até a nova moradia.

Somente após muitos meses – quando a boa resposta ao tratamento oncológico se refletiu nas atividades diárias e o próprio hematologista sugeriu que ele levasse uma vida mais independente –, seu Henrique se viu "autorizado" a sair sozinho para se encontrar com os amigos e ir ao supermercado sem alguém para carregar as sacolas. Depois de meses confinado na gaiola, o passarinho enfim podia voar.

Sim, é confuso lidar com o câncer. E, sim, pode ser assustador e até perigoso. Mas a verdade é que raramente as doenças oncológicas evoluem de modo tão rápido e tão avassalador que não haja tempo para uma transição adequada e sensata no cuidado. Na maior parte dos casos, a doença se comporta de forma até previsível, como tudo na natureza.

Quando observamos uma árvore no quintal, toda florida na primavera, esbanjando suas cores alegres, sabemos que ela não estará assim quando o outono chegar. Dia após dia, vemos caírem algumas pétalas e depois as folhas, e por fim os galhos solitários passam a dominar a paisagem. Mas, logo no início da primavera, não precisamos correr com vassouras e sacos de lixo, mesmo sabendo que mais adiante o chão ficará coberto de pétalas e de folhas. Até quando isso acontecer, varrer o chão não será urgência. Deixar o chão atapetado de folhas pode mesmo – vejam só! – ser uma opção que enche nossos olhos de beleza. Assim também costuma ser o processo do câncer. Somos capazes de enxergar os sinais, de perceber a necessidade crescente de ajuda e de adaptar essa ajuda aos poucos. Se conseguirmos nos manter atentos às mudanças, se utilizarmos as informações que adquirimos sobre a doença e se mantivermos a serenidade para lidar com as transformações que vão acontecendo, a transição da vida "pré-câncer" para a nova experiência será mais tranquila, respeitosa e justa.

ONDE ESTAMOS, PARA ONDE VAMOS E COMO CHEGAREMOS LÁ

Não, não tenho caminho novo./ O que tenho de novo/ é o jeito de caminhar.
Thiago de Mello

Infelizmente, a clareza do processo costuma vir de forma retrospectiva. Só depois de uma queda que resultou em fratura de fêmur, por exemplo, os filhos se dão conta de que o pai vem tendo dificuldades para a subir a escada há semanas e se queixa de tonturas por causa do remédio para dor. Mas não precisa ser assim. O comprometimento pode começar com a observação interessada e cuidadosa da realidade atual. Isso tem especial importância no cenário de um câncer avançado/incurável, que muito provavelmente resultará em declínio da funcionalidade da pessoa. É também importante quando, afora o diagnóstico oncológico, temos um paciente com funcionalidade já comprometida (pela idade avançada e/ou pela presença de outras condições de saúde limitantes, como demências, problemas cardíacos ou limitações osteomusculares).

O primeiro passo é uma avaliação cuidadosa da pessoa. Observar, respeitosa e pacientemente, como ela vive, como reage, o que valoriza. Os geriatras fazem tais avaliações com perfeição nos idosos, e podemos utilizar as técnicas deles, de forma simplificada, para qualquer pessoa que acabou de receber o diagnóstico de câncer ou que está em tratamento oncológico. Os geriatras determinam o grau de funcionalidade avaliando dois níveis essenciais de atividade:

1. *Atividades instrumentais (ou avançadas) da vida diária*. No momento, a pessoa tem uma vida completamente independente e ativa? É capaz de trabalhar, participar de projetos, interagir em reuniões, dirigir (ou usar sozinha o transporte público), fazer as compras no supermercado e na farmácia, administrar a vida financeira? Prepara sozinha suas refeições? É capaz de se locomover adequadamente no apartamento, subir/descer escadas ou elevadores, arrumar a cama, limpar a casa, cozinhar, dar telefonemas, pagar suas contas?

2. *Atividades básicas da vida diária.* A pessoa é capaz de tomar banho sozinha, vestir-se, usar o banheiro, locomover-se da cama para a cadeira (e vice-versa), alimentar-se sem ajuda?

Pode parecer um pouco surreal, mas grande parte dos familiares não conhece de modo profundo a funcionalidade dos pacientes oncológicos e, com isso, tende ou a subestimá-los, ou a superestimá-los (no segundo caso, isso leva a uma assistência desproporcional às necessidades deles). Determinar qual é nosso ponto de partida é importante para nos comprometermos com o objetivo primordial: preservar a funcionalidade, o bem-estar e a qualidade de vida no melhor nível possível e pelo maior tempo possível.

A Estação do Comprometimento envolve decisões que terão impacto em médio e longo prazo, e a maneira como lidamos com isso é capaz de modificar por completo a direção seguida. É importante facilitar o processo. Tratamentos oncológicos, em especial no cenário da doença avançada, costumam ser prolongados e permeados de visitas a médicos, clínicas oncológicas, laboratórios, serviços de radiologia e hospitais. Embora nem sempre seja possível escolher o local onde se realizará o tratamento (tanto no sistema de saúde público como no de saúde suplementar, é comum restringirem essa opção), é uma boa ideia pensar em médio e longo prazo e tomar decisões que facilitem a vida do paciente e da equipe de apoio. Fazer tratamento oncológico em serviços muito distantes do domicílio costuma gerar grandes transtornos ou desconfortos – físicos, emocionais e até financeiros. Não é infrequente vermos pacientes que, na tentativa de receber a melhor assistência disponível na medicina, optaram por realizar o tratamento a centenas de quilômetros de casa, mas que aí, por não disporem de um médico de referência próximo, acabaram sendo assistidos de forma inadequada durante suas intercorrências. Além disso, há que se pensar na eventualidade de insucessos: quem vai cuidar se as coisas não saírem tão bem como gostaríamos? É claro que todos têm o direito de procurar grandes serviços de referência em oncologia para avaliar melhor suas opções, seja para iniciar o tratamento, seja para ouvir uma segunda opinião. Mas é importante pesar os riscos e benefícios da distância e os aspectos logísticos envolvidos, em particular no cenário de doenças muito avançadas. Outro aspecto que se costuma negligenciar é o suporte não médico. Tendemos a acreditar que o tratamento oncológico mais adequado depende exclusivamente (ou quase) da capacidade técnica do oncologista. Com certeza, um bom oncologista faz muita diferença nos resultados obtidos. Mas há outras abordagens que podem ter impacto tão significativo quanto o bom médico no prognóstico da doença e na qualidade de vida dos pacientes: as que têm como foco a saúde e o bem-estar. É sobretudo nelas que se baseia a Estação do Comprometimento: o conceito positivo de saúde, adotado como quarto princípio da medicina sem pressa. Trata-se de considerar a saúde uma condição que transcende a presença ou não da doença.

Com um diagnóstico de câncer em mãos, pode ser difícil pensar que a doença é apenas parte do todo. Na verdade, é bastante comum que pessoas com diagnóstico de câncer sejam reduzidas à condição de "pacientes oncológicos" e só. Uma paciente muito jovem que conheci anos atrás, em tratamento para câncer de mama com metástases no fígado, brincava com essa tendência reducionista dizendo que, junto com o diagnóstico, havia recebido seu "Oncocard", que a colocava numa categoria à parte de pessoa: tinha direito a passar na frente em filas, sacar o FGTS, dizer qualquer bobagem que lhe viesse à cabeça (e ser perdoada por isso), ver alguns desejos realizados e ter acesso a mimos de vários tipos. Mas o preço para ter um Oncocard, ela dizia, é alto: a vida dos portadores precisa corresponder ao imaginário dos outros sobre a vivência do câncer. Isso significa que você não pode demonstrar alegria intensa sem acharem que está negando sua doença, nem demonstrar tristeza sem ser considerado deprimido, nem muito menos fazer planos para o futuro (caso você se aventure a divulgá-los, é bem possível que seja depressa encaminhado a um psicólogo para que ajuste essas expectativas a sua difícil realidade). Não lhe é permitido esquecer a condição de paciente oncológico nem sequer por alguns minutos. Você recebe olhares piedosos no metrô, é censurado se ousa tomar uma taça de vinho e se vê com frequência citado como referência de tragédia humana ("Não reclame da vida – já pensou se você tivesse câncer como o fulano?"). É descrito (por vezes à revelia) como herói ou guerreiro, inserido numa batalha que não escolheu lutar. Na narrativa que lhe impõem, não sobra muito espaço para você ser quem gostaria. E é nessa falta de espaço que entra o conceito positivo de saúde: ele ajuda a ampliar as dimensões da vida, seja qual for a condição física do corpo que a abriga. Ter saúde é, em última instância, sentir-se feliz com o que se tem. Não é tarefa para heróis nem para guerreiros. É tarefa para todos nós.

Seres complexos que somos, o significado de saúde não é o mesmo para todos. Sentir-se saudável implica compreender o que nos é necessário, o que é importante para nós, e buscar inserir tais coisas na nossa vida. Os médicos são surpreendentemente limitados quanto a esse tipo de saúde. Em muitos casos, aliás, são avessos a aceitar quaisquer abordagens que não estejam descritas em seus livros científicos – e não estou nem mesmo me referindo a práticas exóticas. Com frequência, até aquelas relacionadas à espiritualidade, vida sexual, socialização ou engajamento em projetos pessoais significativos são relegadas a segundo plano pelos médicos, engajados que estão em tratar a doença – e desconectados que estão das pessoas doentes.

Na Estação do Comprometimento, perceber a doença como peça de um quebra-cabeça bem maior é essencial, e aprender sobre como reagimos a ela também. Cuidar das outras dimensões da vida com o mesmo zelo com que tratamos a doença nos possibilita uma visão privilegiada de nós mesmos e do significado disso tudo. Às vezes, só enxergamos a grandiosidade do mar quando o observamos do topo da montanha.

PRÁTICAS INTEGRATIVAS E COMPLEMENTARES

O segredo é não correr atrás das borboletas...
É cuidar do jardim para que elas venham até você.
D. Elhers

O sétimo princípio da medicina sem pressa nos fala sobre as práticas integrativas e complementares (PICs). Embora possam ser encontradas com diversos outros nomes, as PICs constituem práticas voltadas à promoção da saúde e bem-estar que não são ensinadas nos cursos tradicionais de medicina nem de outras profissões em saúde. São exemplo de PIC, entre muitas outras, a medicina chinesa, o aiurveda, a ioga, o *tai chi chuan*, a aromaterapia, a musicoterapia, as massagens, as técnicas de relaxamento e a meditação. Por vezes, as PICs derivam de conhecimentos milenares que não se desenvolveram à luz do método científico ocidental, baseado em grandes estudos clínicos e evidências científicas sólidas. Gestadas ao longo de anos e anos de observação e relatos de seus praticantes, são às vezes consideradas uma medicina "alternativa", e inúmeras camadas de preconceito costumam rodeá-las (sobretudo da parte de profissionais de saúde treinados na ciência ocidental).

Embora as PICs não sejam a medicina sem pressa em si, elas foram incluídas em seus princípios por estarem em consonância com o objetivo primordial: promover a saúde e o bem-estar independentemente das condições físicas, para isso tendo profundas raízes na individualização do cuidado e respeitando os valores e experiências únicos da pessoa. Algumas PICs já dispõem de evidências científicas suficientes; a acupuntura, por exemplo, é reconhecida pelo Conselho Federal de Medicina e indicada por profissionais "convencionais" para diversas situações. Mas muitas outras PICs carecem de tais evidências, o que as coloca em posição delicada dentro do cuidado: é ético indicar a um paciente em situação de vulnerabilidade práticas que não tenham benefícios amplamente comprovados ? É sensato investir dinheiro (do paciente ou de fontes pagadoras, quer públicas, quer privadas) em práticas cujos benefícios são considerados duvidosos pela ciência? Temos aí questões que suscitam discussões acaloradas e infinitas, e não é objetivo deste livro enveredar por tais controvérsias. Mas incluir as PICs no arsenal de estratégias que podem ser utilizadas durante a Estação do Comprometimento se faz necessário porque é justamente no contexto do desenvolvimento pessoal e da preparação para o futuro que elas encontram sua maior utilidade.

Na vasta maioria, as PICs centram-se nas necessidades do indivíduo, estimulando o autoconhecimento, o autocuidado, o manejo da ansiedade e a autonomia. Essas ferramentas são de incontestável utilidade para administrar situações desafiadoras (como um câncer avançado), aumentando a resiliência e proporcionando a sensação de bem-estar que os pacientes almejam. Do ponto de vista humanitário, seria falta de bom senso (para não dizer estupidez) não utilizá-las com esse fim. Do ponto de vista médico, entretanto, as preocupações com a segurança dos pacientes e até com eventuais prejuízos financeiros que tais práticas possam acarretar têm muitas vezes um peso maior que os benefícios prometidos por elas. Além disso, a falta de conhecimento dos médicos sobre a maioria das PICs costuma ser decisiva no posicionamento quanto ao uso delas: se não conheço, não indico (ou até contraindico).

Da perspectiva da medicina sem pressa, as PICs são bem-vindas, com duas ressalvas. Em primeiro lugar, devem ser preferencialmente baseadas em evidências científicas. Em segundo lugar, caso não existam evidências em número nem qualidade suficiente, é crucial que não ofereçam riscos ao paciente, sejam coerentes com as crenças e valores dele e não acarretem prejuízos significativos (por exemplo, de ordem financeira ou emocional). Ambas as ressalvas são importantes porque estamos num cenário de grande fragilidade, tanto do paciente quanto dos familiares. A fragilidade, bem sabemos, distorce a capacidade de raciocínio e estimula crenças improdutivas, atitudes insensatas e medos infundados. Ela expõe os pacientes a charlatães e aproveitadores, por vezes tão talentosos que até para quem não está envolvido fica difícil reconhecer o canto da sereia. Outras vezes, trata-se não de má-fé do terapeuta, mas de falta de conhecimento – ou de crença excessiva em suas práticas. O fato é que, não importando se as intenções são as melhores ou as mais torpes, despender tempo, energia, dinheiro ou saúde com recursos inúteis nunca é boa estratégia, em especial em oncologia. Cabe aos profissionais da saúde ajudar os pacientes a separar o joio do trigo, fazer escolhas que os ajudem e, ao mesmo tempo, protegê-los dessas armadilhas. Para isso, é necessária uma relação de honestidade e confiança (e olha aí de novo a postura *slow*). Mais de metade dos pacientes não revela aos médicos que está usando práticas integrativas, seja por não considerarem que elas tenham alguma influência negativa no tratamento oncológico convencional, seja por acreditarem que o médico será contrário à utilização. Isso acarreta perigos impossíveis de mensurar.

É muitíssimo recomendável que os médicos e outros profissionais da saúde façam um esforço consciente para conhecer as PICs (pelo menos as que são mais comuns e as que o paciente trouxer) antes de se posicionarem frontalmente contra elas. Uma postura mais aberta e mais empática fortalece os vínculos de parceria e confiança e reduz os potenciais riscos. Outra estratégia interessante é propor que o paciente faça uma experiência e avalie como se sente com a prática em questão. Esse tipo de proposta estimula que ele avalie de forma mais criteriosa os benefícios da terapia e permite que decida com mais propriedade se vale a pena mantê-la. Lembremos que a ausência de efeitos colaterais, por si só, não justifica um tratamento. Tomamos remédios porque são eficazes contra nossas doenças, não porque não nos fazem mal. O mesmo vale para as PICs ou qualquer outra abordagem.

SOBRE COMPROMETER-NOS

É parte da cura o desejo de ser curado.
Sêneca

Precisamos nos comprometer. Não apenas com os cuidados práticos, mas com o processo. Comprometer-nos com o projeto de sermos a nossa melhor versão. Não há fórmulas nem diretrizes para isso. Tudo que temos é a nós mesmos e a sinceridade com que tratamos essas questões. O que nos dói? O que nos falta? O que nos aquece o coração? O que nos faz vibrar? O que nos proporciona paz? O que podemos deixar de carregar conosco?

Para respostas infinitas, infinitos são os caminhos – da religiosidade às viagens para lugares desconhecidos, da meditação à adoção de novos hábitos alimentares, da ioga ao vinho com os amigos, do cinema com pipoca ao sexo tântrico. Mais importante que os caminhos escolhidos é o valor que damos a eles. O processo de cura passa pelo autoconhecimento e pelas atitudes que adotamos a cada descoberta. Passa pelo acolhimento carinhoso de nossas falhas, pelo perdão de nossos erros e pela alegria de nos descobrirmos capazes e valiosos. A cura pouco tem que ver com eliminar ou não a doença: ela implica sentir-se curado mesmo quando a doença está lá.

A Estação do Comprometimento envolve a vulnerabilidade que nos desperta para a necessidade de nos fortalecermos. Aqui, fortalecimento quase não tem relação com músculos ou capacidades físicas, embora esses aspectos também sejam importantes. Os prismas mais negligenciados são os impalpáveis, aqueles que não conseguimos medir nem enxergar: nossas dimensões não físicas. O fortalecimento das pessoas que somos, para além do corpo que habitamos. Nossos valores, crenças, mecanismos de enfrentamento, espiritualidade, apoio social. Nada disso vem de consultas médicas, e, mesmo quando tais aspectos são abordados, cabe a cada um reconhecer as próprias fraquezas e se engajar em fortalecê-las. Delegarmos ao médico ou a qualquer outro profissional de saúde a tarefa de identificar o que dá sentido a nossos dias não é apenas improdutivo – é injusto e frustrante. Ainda que o processo mais intenso seja em geral de quem adoeceu, embarcam junto outras pessoas: amigos, filhos, outros familiares e os próprios profissionais de saúde. A vulnerabilidade conscientiza e transforma a todos os que entram em contato com ela. A Estação do Comprometimento é desafiadora justamente porque, embora estejamos numa fase de relativa estabilidade, em que a doença está sendo cuidada, os tratamentos vão sendo administrados e certa sensação de controle já nos envolve, precisamos lidar com as incertezas do futuro – e quem gosta disso? É o momento de repensar escolhas e priorizar projetos, mas o projeto mais importante não é combater a doença, e sim aliar-se a si mesmo.

A vida muda. O tempo todo. A água que hoje é mar será amanhã nuvem, se transformará depois em chuva e talvez nunca seja mar de novo. A água que já foi mar pode virar rio, pode um dia ser geada, pode até ser a poça em que alguém vai brincar um dia. A vida também é assim. O mar que somos hoje pode ser rio amanhã e poça depois. Ainda assim somos água, inteiros em cada etapa transformada. Comprometer-se com as transformações é comprometer-se com a vida que desejamos para nós.

Estação 4 – Crise

Não acredito que ela piorou assim tão de repente!
D. I., filha

Manuela nem sequer imaginava as mudanças que o diagnóstico de câncer de mama avançado traria para sua vida. Aos 59 anos, ativa e comemorando a nova condição de avó da Larissa, de apenas 6 meses, tinha se preparado para cuidar da neta todas as tardes, para que a filha Denise pudesse voltar ao trabalho com tranquilidade. Manuela recusava-se a deixar que o câncer atrapalhasse essa experiência tão esperada. Estava bem, excetuada a discreta fraqueza que o tratamento oncológico lhe causava, e não via motivos para sobrecarregar ainda mais a filha com sua indisponibilidade.

Nos primeiros meses, sua determinação e sua boa vontade superaram os efeitos colaterais do tratamento, e Manuela conseguia cuidar de Larissa com tranquilidade. Quando começou a sentir uma dor nas costas incômoda, achou melhor não contar à filha, atribuindo o quadro ao colchão, que já passava da hora de ser trocado. Mesmo quando a dor se intensificou, dificultando movimentos como levantar-se da cadeira, ela manteve o sintoma em segredo, temendo que a filha não permitisse mais que Larissa ficasse sob seus cuidados. Denise questionou o fato de Manuela precisar se apoiar no braço do sofá para se levantar, mas a mãe disse que estava com um pouco de dor nas costas porque era difícil acompanhar a demanda de Larissa, que começava a dar os primeiros passinhos. Manuela assegurou à filha que não era nada grave e que falaria com o médico na consulta seguinte.

Os dias foram se passando, e a dor piorava. Os analgésicos comuns não mais faziam efeito, e alguns movimentos simples já lhe causavam dor intensa. Uma tarde, ao ir buscar Larissa, Denise encontrou Manuela deitada no chão, com uma das pernas sobre o sofá. Larissa chorava perto da avó, e o celular tocava a poucos metros das duas. Manuela, ao ver Denise, começou a chorar, nervosa. Tinha tentado pegar Larissa no colo e, de repente, sentido uma dor insuportável na coluna, que a fez cair no tapete. Desde a queda, não conseguia mexer as pernas. Fazia quase uma hora, vinha procurando se arrastar até o celular para pedir ajuda; mas, por causa da dor, não conseguia se mover mais do que poucos centímetros. Denise ligou de imediato para o médico, que orientou que Manuela fosse levada ao hospital.

O comprometimento da coluna vertebral pelo câncer era grave, e as raízes nervosas responsáveis pelos movimentos das pernas estavam comprimidas após duas vértebras terem desabado uma sobre a outra. Manuela foi prontamente avaliada por uma equipe cirúrgica, e indicaram a descompressão nervosa imediata, para evitar que a paralisia das pernas se tornasse irreversível. Após dez dias de internação, Manuela teve alta. Como precisaria de cuidados contínuos, mudou-se em caráter temporário para a casa de Denise. Um bom esquema de cuidados foi organizado por Denise e pela irmã mais nova, incluindo-se fisioterapia domiciliar, controle dos medicamentos e a contratação de uma babá para Larissa.

O quadro neurológico foi revertido após algumas semanas, mas, em consenso, decidiram manter o arranjo inicial na casa de Denise, para que Manuela pudesse desfrutar do convívio com a neta sem se colocar em risco e tivesse um cuidado mais adequado quando a doença voltasse a progredir. Foi só depois da crise que elas perceberam que "manter a proximidade" é algo muito mais amplo do que estar por perto.

Hoje em dia, já mencionamos, o câncer pode ser considerado uma doença crônica. Mesmo nas fases mais avançadas, com metástases a distância, é provável que o paciente passe por longas fases em que a doença permanece estável ou apresenta poucas complicações. No entanto, complicações graves e inesperadas em algum momento da evolução da doença metastática são mais comuns do que gostaríamos, por mais cuidadosos que sejam o paciente e a família. Um estudo recente avaliou as internações hospitalares que, entre mais de 400 mil pacientes brasileiros adultos, foram indicadas no primeiro ano de tratamento oncológico ambulatorial[26]. A hospitalização foi necessária em um terço dos casos (34%), com média de permanência de seis dias no hospital, na maioria para pacientes com câncer avançado. Em 61% dos casos, uma emergência motivou a internação. Em 25%, as causas foram complicações relacionadas ao câncer; e, em 18%, outras complicações clínicas. Isso significa que a possibilidade de intercorrências não planejadas acontecerem em tempo relativamente curto após o diagnóstico de câncer é considerável. São incontáveis as situações capazes de interromper bruscamente um período de relativa estabilidade e arremessar o paciente (e toda a sua rede de apoio) para o meio do caos. Em *My mother, your mother*, McCullough descreve essa fase como um momento no qual a prioridade é clara: redução de danos:

> Neste momento crítico que é a primeira crise, encorajo a família a agir de imediato. Na Estação do Comprometimento, aprendemos a desenvolver uma atitude de vigilância e prontidão. Agora os dias de serenidade terminaram: a Estação de Crise assume a trajetória de um mergulho rápido, súbito e imprevisto em águas perigosas. Você pode estar a muitas centenas de quilômetros de distância. Isso não é o que você gostaria que acontecesse. Mas você precisa deixar o "Por quê?" e o "E se?" para se concentrar no "E agora?"[27]

É importante ter em mente que algumas crises são inevitáveis e independem do zelo e do cuidado que estavam sendo oferecidos pela rede de apoio. Nesse momento, mesmo quando diante de uma situação que poderia ter sido evitada, é improdutivo dedicar energia e tempo a remorsos, acusações e questionamentos. O desfecho da Estação de Crise é incerto e possivelmente grave e vai depender de como você lida com a situação. Aja rápido e mantenha-se firme.

E AGORA?

A emergência é um momento não de escolhas, mas de decisões.
Douglas Ferrari

Em primeiro lugar, é importante você compreender em que consiste a crise para que possa avaliar quão urgente ela é. No cenário de pacientes oncológicos, essas mudanças drásticas na trajetória do paciente surgem de várias formas: a descompensação das condições de saúde (insuficiência renal ou hepática, por exemplo, ou desidratação grave); complicações relacionadas à progressão do câncer (como fraturas secundárias a metástases ósseas ou, ainda, convulsões associadas a metástases cerebrais); quadros infecciosos graves; intensificação aguda de sintomas que estavam controlados (como dor ou constipação intestinal); e até efeitos colaterais de medicamentos. Por vezes, a crise não tem nenhuma relação direta com o câncer, como um acidente doméstico ou a descompensação de outra condição de saúde (diabetes ou hipertensão, por exemplo). Cada situação dessas exigirá uma abordagem diferente, mas quase sempre será necessário ir ao hospital ou, na melhor das hipóteses, ao consultório do médico responsável para uma avaliação de urgência.

Esse é um momento delicado. Dependendo da natureza da emergência, você pode não ter controle algum sobre a situação. É o que acontece, por exemplo, no caso de a pessoa doente ser encontrada desorientada ou sonolenta por um vizinho que, assustado, chama pelo 192 uma ambulância, que a leva ao pronto-socorro mais próximo. Aí talvez se passe um bom tempo até que alguém localize o telefone de parentes ou amigos para avisá-los do que aconteceu e informar onde o paciente está. Durante esse tempo, pode ter-se desencadeado toda uma cascata de acontecimentos, da realização de exames ao encaminhamento da pessoa a uma UTI. É provável que ninguém da equipe médica que atendeu ao paciente no pronto-socorro conheça seu histórico, nem quais são as medicações em uso (cuja lista que deixaram cuidadosamente pregada na porta da geladeira não foi vista pelo vizinho nem pelo pessoal do Samu). A equipe tentará extrair essas informações da própria pessoa, que, nesse momento, está não só confusa mas também insegura e amedrontada. Não reconhece o local para onde a levaram, nem o rosto das pessoas que falam com ela, e está atordoada com as luzes e os ruídos estranhos. Sua sensação é de assustadora perda da dignidade e do autocontrole. Consegue fornecer apenas informações desencontradas e incorretas. Talvez nem mesmo se lembre do número do celular ou da própria data de nascimento. É um cenário de fragilidade extrema, em que muita coisa pode dar errado. Estamos a poucos passos do caos.

Assim que você for informado do que houve, aja rápido: a pessoa precisa saber que você está assumindo o controle por ela. Tão logo possível, dirija-se ao local onde ela está e procure ficar fisicamente perto. Um rosto que seja conhecido e confiável – e, sobretudo, se mostre sereno – pode ser suficiente para recolocar a situação nos trilhos. Fale com calma, aja com firmeza. É o momento de não desmoronar. Caso sua presença imediata não seja possível, peça que alguém da equipe de saúde transmita a mensagem de que você já está sabendo o que houve e está a caminho. Peça que esse "mensageiro" diga claramente seu nome à pessoa. Se for possível, fale com ela pelo celular, fazendo-a ouvir sua voz familiar ou até ver sua imagem na tela. Numa situação de crise, saber que alguém que amamos está agindo em nossa defesa é terapêutico. Além disso, médicos e enfermeiros tendem a ser mais diligentes quando presenciam a preocupação sincera dos familiares. Isso "humaniza" a figura do paciente e aumenta as chances de uma atitude mais empática da parte deles. Se você não puder estar lá depressa, peça ajuda de alguém próximo: outro familiar, um vizinho, um amigo, alguém que se importe e em quem a pessoa possa confiar. A presença preenche espaços importantes.

As primeiras horas (e até dias) após o desencadeamento da crise são em geral as mais difíceis. Vocês estão num ambiente desconhecido, desconfortável, que em nada lembra a organização asséptica dos hospitais de seriado de TV ou o acolhimento humano dos serviços médicos que os planos de saúde ou órgãos governamentais propagandeiam. Você vê profissionais andar apressados de um lado para o outro, preencher documentos, falar uns com os outros, executar tarefas e administrar medicamentos, numa rotina visivelmente atribulada. Você desconhece os protocolos deles, não tem ideia de para que serve todo aquele equipamento, nem mesmo reconhece a linguagem que todos utilizam por ali. Pode ser difícil até identificar qual a função de cada profissional, ou quem são o médico e o enfermeiro responsáveis pelo plantão. É provável que sua presença junto àquele que você ama (e pelo qual está totalmente responsável nesse momento) seja limitada, "por motivo de segurança", a alguns minutos no decorrer do dia. E, mesmo permanecendo por pouco tempo, você pode ter a incômoda sensação de que está atrapalhando a rotina puxada dos profissionais da saúde. Ainda assim, é muito importante que procure manter a serenidade e a sensatez. Perdê-las, nesse momento, não vai ajudar em nada.

Um dos maiores desafios da nova situação é a súbita perda de identidade a que vocês ficam expostos. A equipe de saúde nunca os viu antes, e tudo o que sabem a respeito de vocês são dados resumidos informados pela equipe da ambulância e os sinais vitais do paciente. Mesmo que você tenha trazido o relatório do oncologista, ou mesmo que ele tenha conversado com a equipe do serviço de urgência para informá-los de detalhes do caso, é inevitável a percepção de "ruptura" no cuidado que vinha sendo oferecido até ali. Equipes de saúde que trabalham no cenário de urgências e emergências não costumam enxergar o contexto de forma mais ampla. São treinadas sobretudo para resolver problemas, não para administrar situações. Não conhecem o nível de funcionalidade habitual da pessoa de quem estão cuidando, nem seu nível basal de lucidez, nem o motivo de estar utilizando a medicação *A* ou *B*. Também costumam ter conhecimento bastante superficial sobre o prognóstico de pacientes oncológicos em situações emergenciais e, muitas vezes, limitam-se a classificá-los com termos tão cruéis como *investíveis* ou *não investíveis*.

Infelizmente, essa terminologia é comum nas conversas entre profissionais da saúde quando estão definindo as condutas a adotar. Os médicos da *fast medicine* atual têm forte tendência a encaixar os pacientes em categorias definitivas como aquelas, porque os ajuda a determinar quais protocolos serão adotados. A condição de *investível* significa que todo o possível será feito para manter vivo o paciente, no que se inclui um verdadeiro turbilhão de procedimentos médicos, como dezenas de exames de análises clínicas e de imagem, antibióticos, drogas para estabilizar a pressão arterial, anticoagulantes e, por fim, medidas de suporte artificial à vida (leia-se UTI). Significa ainda que, caso haja parada cardiorrespiratória, esse paciente receberá manobras de ressuscitação cardiorrespiratória, desfibriladores e o que mais for necessário para que coração e pulmões continuem funcionando. Na dúvida, "é melhor pecar pelo excesso". Por outro lado, o paciente *não investível* não será candidato a quase nada disso. Provavelmente terá alguns exames realizados para diagnóstico da situação, e pode ser que receba medidas menos invasivas, como hidratação ou antibióticos. O carimbo de *não investível*, porém, impedirá que receba muito mais que isso. Ele "não tem prognóstico", o que o coloca em risco de receber menos do que de fato precisa. Os médicos, por incrível que pareça, farão essas categorizações com base em conhecimentos mínimos sobre o paciente e sua condição de saúde.

Se parece bizarro, é porque é. Por muitos motivos. O primeiro é que, embora cada doença tenha padrão razoavelmente previsível na apresentação, o contexto em que elas se desenvolvem é sempre único e, portanto, difícil de prever. Menosprezar a idade, a condição clínica prévia, os aspectos sociais, as expectativas pessoais e os valores individuais nos coloca em terreno instável, no qual podemos facilmente adotar estratégias desproporcionais (para menos ou para mais) às necessidades do paciente. Em segundo lugar, há o perigoso viés dos preconceitos. O etarismo – a discriminação por idade – é um deles: pacientes idosos, independentemente das condições de saúde, são com frequência considerados menos prioritários do que pacientes mais jovens, mesmo que seu prognóstico clínico seja melhor. Pacientes oncológicos, em especial em fase avançada da doença, costumam também ser colocados para trás na fila de prioridades do pronto-socorro. Ou seja: as condutas adotadas num cenário de emergência podem depender mais de tendências pessoais da equipe do que da situação real do paciente. Estamos andando sobre um gelo muito, muito fino...

Há, ainda, questões institucionais que dificultam uma abordagem mais sensata dos pacientes. A maioria dos hospitais é obrigada a adotar protocolos de condutas rigorosos nas mais diversas situações, em especial emergenciais. Para cada diagnóstico específico, inicia-se um protocolo, e eventuais "desvios" precisam ser formalmente comunicados e justificados à instituição (em certos casos, o médico chega a receber uma espécie de advertência por não ter seguido determinado protocolo à risca). Isso pode aumentar a segurança dos pacientes e a eficácia da assistência, mas exerce enorme pressão sobre as equipes de saúde para que não descumpram as regras, resultando no engessamento das condutas. Tal inflexibilidade, paradoxalmente, coloca em risco a segurança dos pacientes, na medida em que eles poderão receber tratamentos desproporcionais a suas necessidades. É complexo, mas o sistema de saúde atual favorece abordagens padronizadas e pouco lógicas. É justamente para evitar que os pacientes recebam intervenções excessivas ou insuficientes que se concebeu o segundo princípio da *slow medicine*: a individualização. É aqui que você entra.

A MEDICINA SEM PRESSA NA EMERGÊNCIA

Muitas vezes, há mais bom senso numa
única pessoa do que numa multidão.
Fedro

Uma das coisas essenciais que você deve ter em mente é que, embora o sistema pareça caótico e favoreça condutas inadequadas ao contexto dos pacientes, toda a equipe está ali com o objetivo primordial de auxiliar você. Como familiar ou cuidador, seu principal papel não é criar conflitos para proteger o ente querido de um sistema potencialmente falho, e sim colaborar com os profissionais para encontrar o caminho do meio entre o exagero e o descaso. Pode ajudá-los a ajudar vocês. Assim, procure manter a calma e lidar com a equipe de forma educada, ainda que você precise ser firme às vezes.

Busque conversar com o médico para entender sua linha de raciocínio e mostre-se aberto ao diálogo. Se você iniciar a conversa de maneira agressiva ou desrespeitosa, as probabilidades de uma assistência pouco satisfatória aumentarão (infelizmente, profissionais da saúde, mesmo reconhecendo o estado de estresse em que pacientes e/ou familiares se encontram, não costumam lidar bem com intimidações). Ouça o que o médico tem a lhe dizer e depois procure fazer algumas "perguntas de ouro", que poderão ajudar você na condução do caso:

» Há alguma informação adicional de que o senhor precise para ajudar meu pai [ou cônjuge, filho ou outro]?
» Além desse diagnóstico em que o senhor está pensando, há outros?
» O tratamento/procedimento que o senhor está propondo oferece riscos? De que tipo?
» O que acontece se não fizermos isso? Há outras opções?

Essas perguntas simples podem ser suficientes para que você obtenha assistência mais sensata e mais segura. Em primeiro lugar, elas sugerem ao profissional de saúde que você está interessado em trabalhar como parceiro, apoiando o trabalho dele no que puder. Outro efeito importante é induzir o médico a raciocinar de modo mais lógico, oferecendo contexto mais nítido e fazendo que ele repense tanto o diagnóstico como as opções. E, por fim, as perguntas deixam claro que você não deseja nem "tudo o que o hospital tiver a oferecer a qualquer custo", nem "o mínimo disponível no momento". O objetivo é uma assistência adequada às necessidades de vocês, nem mais, nem menos.

Seu João, 78 anos, estava em tratamento de câncer de próstata havia cerca de 18 meses. Com metástases ósseas desde o diagnóstico, tinha aprendido a controlar a dor usando doses baixas de morfina e paracetamol. Segundo o oncologista, a doença seguia bem controlada, e a qualidade de vida estava mesmo boa, com pouquíssimas limitações. Naquela manhã, entretanto, seu João tinha demorado mais para se levantar. Não quis tomar o café da manhã e reclamou de indisposição. O termômetro registrou 37,5ºC, mas, fora isso, não havia nada de errado.

A filha, Dalva, embora um pouco preocupada, atribuiu os sintomas a algum quadro gripal que poderia estar se instalando. Antes de ter saído para o trabalho, pediu à vizinha que desse uma olhada no pai algum tempo depois. Quando essa vizinha tocou a campainha, pouco antes do almoço, seu João não atendeu. Ela então entrou no apartamento com a chave extra do zelador e encontrou seu João sentado na cozinha, seminu e desorientado, dizendo palavras desconexas. A vizinha ligou na hora para o 192.

Dalva chegou ao pronto-socorro junto com a ambulância do Samu. Seu João foi depressa levado para a sala de emergência, onde médicos e enfermeiros começavam a fazer a primeira avaliação. Enquanto o médico examinava seu João, a filha lhe falou sobre o tratamento do câncer de próstata e o mal-estar daquela manhã. Mostrou as medicações utilizadas, entre elas as doses regulares de morfina. O médico então disse a Dalva que provavelmente o pai estava apresentando efeitos colaterais da morfina e que seria importante suspender de imediato a medicação. Talvez fosse necessário, também, fazer uma tomografia cerebral, para descartar metástases do câncer ou mesmo um derrame cerebral.

Dalva então pensou um pouco e perguntou:

"Doutor, ele toma a morfina há vários meses, sempre na mesma dose, e nunca teve isso... Se não for efeito colateral da morfina, o que mais pode ser?"

O médico parou um instante, pensativo, e perguntou se seu João tinha tido algum outro sintoma pela manhã. Quando Dalva falou da discreta elevação de temperatura, uma luz se acendeu na cabeça do médico:

"Puxa... Talvez seja infecção urinária! Os idosos por vezes apresentam confusão mental quando estão infectados. Vou solicitar o exame de urina e voltamos a conversar."

Mais ou menos uma hora depois, o médico retornou sorrindo: era mesmo infecção urinária. Alguns dias de antibiótico, e seu João ficaria bem. O alívio de Dalva se misturava à satisfação do médico em ter conseguido encontrar um caminho do meio. Nem demais, nem de menos. Como a medicina deve ser.

A MEDICINA SEM PRESSA NA INTERNAÇÃO

O caos não é um abismo. Ele é uma escada.
George R. R. Martin

Nem sempre (ou quase nunca) as emergências inesperadas que acontecem com pacientes oncológicos são resolvidas após algumas poucas horas no pronto-socorro, terminando num desejável retorno ao lar. Muitas delas exigem internação hospitalar, iniciando um novo capítulo da história da pessoa doente e, sobretudo, de sua equipe de apoio. Hospitais não são lugares fáceis de entender. Costumam ter dimensões gigantescas, com um labirinto de corredores, portas, salas e outros compartimentos que desafiam até quem trabalha lá dentro todos os dias. Os ruídos são desconhecidos, estranhos e, muitas vezes, irritantes, e a iluminação é em geral fria e ininterrupta. Aparelhos *high-tech* por todos os cantos, placas indicativas para todos os lados e pessoas uniformizadas andando em todas as direções completam o cenário. Os hospitais não se parecem nem de longe com o ambiente familiar e controlado da nossa casa, e é difícil imaginar um ambiente menos acolhedor para o paciente oncológico que acabou de passar pelo cansativo e confuso espaço do pronto-socorro. Mas não temos escolha.

As primeiras horas após a internação são particularmente caóticas. Existe um abismo óbvio entre a necessidade de descanso (do paciente e dos acompanhantes) e a necessidade da equipe de saúde de cumprir todas as tarefas que lhe são atribuídas. Há acessos venosos e sondas a inserir, material de exame a coletar, medicações a administrar. Dezenas de registros precisam ser compilados, e fazem-se e repetem-se infinitas perguntas, muitas delas incômodas ou aparentemente descabidas: "Qual foi o motivo da internação dela?" "Ele já faz algum tratamento oncológico?" "O oncologista foi avisado?" "Que medicações ela toma em casa?" "Ele já recebeu o antibiótico lá no pronto-socorro?" Você pode ter a terrível sensação de que não existe nenhum tipo de comunicação entre o setor de emergência e o de internação. Já explicou (mais de uma vez) tudo o que houve até ali, já mostrou a lista de remédios, já disse o nome do oncologista, e parece que todas as informações se perderam em algum lugar obscuro no trajeto até o quarto. E, diabos, as medicações feitas no pronto-socorro não estão nos registros do paciente?! Para piorar, várias das perguntas feitas pela enfermeira que os recebeu são repetidas pela enfermeira do turno seguinte, pelo técnico em enfermagem, pelo fisioterapeuta ou por qualquer outro novo rosto uniformizado que entre no quarto para falar com vocês. Parece uma grande Torre de Babel, onde ninguém se comunica com ninguém. O caos não inspira confiança, mas é típico das situações de urgência.

Embora uma visão clara do que acontece ainda não esteja disponível, é provável que a equipe da emergência já tenha definido algumas hipóteses diagnósticas, e cabe ao setor de internação obter o máximo de informações possível e providenciar os exames necessários para esclarecer o quadro. É um momento em que o raciocínio costuma ficar em suspenso: há muito o que fazer e pouco tempo disponível. É aqui que os protocolos institucionais são adotados sem flexibilidade e a individualidade se perde sem misericórdia. Não existe espaço para apagar um pouco as luzes, para tomar banho, para colocar meias quentinhas. Até as perguntas mais pessoais têm por objetivo cumprir rotinas práticas: "Ele consegue caminhar? Tomar banho no banheiro? Precisa de cobertor? Água? Tem restrições alimentares? Alergias? Quem vai acompanhá-lo até amanhã?" Mesmo quando tantas perguntas são acompanhadas de um rosto simpático e um sorriso bonito, há algo de estéril no novo ambiente. Ninguém ali sabe nada sobre vocês. Não imaginam que seu pai (ou mãe, ou cônjuge, ou filho) é ótimo cozinheiro, ou viajou pela África, ou conheceu Harrison Ford. Ninguém tem ideia do avô carinhoso, da mãe superprotetora, do companheiro dedicado ou do irmão parceiro que ele ou ela é para você. Nunca presenciaram sua coragem, resiliência, amorosidade, fé. Não sabem nada sobre o paciente, e menos ainda sobre quem veio com ele.

Nesse ambiente tenso, as habilidades dos acompanhantes costumam ser ignoradas. A equipe do hospital assume de forma padronizada e formal todas as tarefas, do banho à limpeza do chão, dos curativos à troca de lençóis, da coleta de material de exame à verificação dos sinais vitais. Não importa se você vinha cuidando maravilhosamente bem do ente querido em casa. Não é relevante que esteja habituado a tomar decisões, organizar rotinas ou solucionar problemas. Talvez você seja um profissional tarimbado da área da saúde – não importa. Aqui, suas habilidades não estão inseridas no protocolo institucional. Não, você não pode administrar as medicações; é questão de segurança. Não, você não deve levá-lo ao banheiro sozinho; chame alguém da enfermagem. Não, você não deve medir a temperatura com o termômetro que trouxe de casa; não é seguro. Não, não e não. Você pode se sentir desconfortavelmente inútil e subvalorizado, e esse incômodo aumenta ainda mais quando a sobrecarga de trabalho da equipe é evidente: o tempo que falta para eles sobra para você. Os minutos se arrastam, o relógio parece congelado. Você observa os profissionais andarem apressados para lá e para cá, com bandejas de medicamentos, soros, tubos, roupas e centenas de formulários para preencher, e certa inquietação vai surgindo. Será que estão mesmo dando conta de tudo? Será que não vão confundir as medicações dos pacientes ou trocar tubos de exames? Vão se lembrar do que lhes disse sobre a alergia à dipirona? Será que vão conseguir fazer tudo que precisa ser feito? Aliás, será que sabem de fato o que estão fazendo?

Você pode se sentir vulnerável, sentir estar falhando no papel de cuidar daquela pessoa que está em situação de fragilidade e confiou sua segurança a você. Mas não caia na armadilha de desconfiar o tempo todo da capacidade da equipe; tampouco presuma que você não tem nenhum papel a desempenhar ali. É claro que cada hospitalização tem trajetória própria, que depende tanto do desequilíbrio clínico que a motivou quanto da estrutura hospitalar onde vocês se encontram; mas, na maioria das vezes, a primeira crise resulta em internações curtas, de poucos dias. Então, poupe as forças para o que realmente for necessário, o que significa estar atento ao paciente para fornecer informações precisas à equipe sobre a evolução e as possíveis necessidades dele. Se for preciso, mantenha anotações sobre o que lhe parece importante e sobre perguntas que tem de fazer ao médico quando ele vier ao quarto. Preste atenção no que a enfermagem costuma perguntar e verificar e aja de forma proativa para oferecer as informações necessárias. Dentro de um ou dois dias, já teremos quase sempre um diagnóstico bastante claro do que está acontecendo, as primeiras condutas já terão sido instituídas, e a situação parecerá menos fora de controle. Você estará mais familiarizado com as rotinas, talvez já conheça alguns enfermeiros pelo nome e provavelmente terá aprendido o caminho até a cantina para um bom café. A partir dos primeiros sinais de melhora clínica, o próprio paciente estará menos fragilizado, e esse é um ótimo momento para você se dedicar a um aprendizado valioso e utilíssimo em eventuais hospitalizações futuras: como transformar sua relação com a equipe de saúde em parceria e confiança mútuas, nas quais as decisões são compartilhadas e se baseiam nos valores de vocês. É o terceiro princípio da medicina sem pressa: o exercício da autonomia e do autocuidado.

CONSTRUINDO PONTES

Se quiser ir rápido, vá sozinho. Se quiser ir longe, vá em grupo.
provérbio africano

Esse segundo momento da hospitalização começa a lembrar um pouco os tempos de estabilidade que vocês vinham vivendo antes da crise. Em alguns dias, provavelmente, receberão alta do hospital, e talvez você comece a sentir-se, enfim, mais relaxado. A pessoa de quem você foi porta-voz durante os últimos dias já é capaz de tomar decisões por si, os sintomas já foram aliviados, os exames estão melhores, e há planejamento mais claro dos próximos passos. Mesmo que as notícias não tenham sido boas (uma progressão da doença, por exemplo, ou uma condição nova que se tornará crônica), tudo parece estar correndo relativamente bem, e isso é ótimo motivo para que vocês se sintam mais confiantes e mais aliviados. É ilusão, porém, acreditar que não há mais trabalho a fazer e que as rotinas mudarão num passe de mágica. Pelo contrário: assim que a situação parece mais calma, é hora de você arregaçar as mangas e começar seu trabalho. É o momento de construir pontes para o futuro, e a primeira delas diz respeito ao relacionamento com a equipe do hospital. Enxergar-se como parte da equipe (e não apenas como usuário de seus serviços) fará diferença brutal no cuidado, tanto no presente quanto no futuro.

Seja solícito. Pergunte se precisam saber de mais alguma coisa, se há algo que você possa trazer de casa para auxiliar na assistência e se você pode ser útil em alguma tarefa relacionada ao cuidado (banho, alimentação ou qualquer outra). Mantenha o ambiente organizado e limpo. Adote atitudes que ajudem a reduzir a tensão no local, como colocar músicas tranquilas (lembrando que, se houver outros pacientes no quarto, recomenda-se o uso de fones de ouvido para não incomodá-los), trazer uma foto da família para colocar na parede ou zelar para que o quarto esteja sempre com iluminação mais relaxante. Ajude a manter uma circulação de ar saudável no quarto, abrindo de tempos em tempos as janelas, por exemplo (naqueles hospitais, é claro, em que isso ainda é possível). Não faça ruídos que possam irritar (televisão ligada sem parar ou toques de celular em volume alto) e procure utilizar o telefone apenas para o mínimo necessário, evitando a sensação de falatório constante que impede a tranquilidade no local. Essas atitudes favorecem a recuperação dos pacientes, tanto física quanto emocional, e têm impacto positivo no comportamento dos profissionais de saúde. A equipe, ao entrar em ambientes assim, que refletem uma preocupação com o bem-estar de todos, costuma ser "contaminada" pela atmosfera agradável, reduzindo a própria tensão e trabalhando de forma mais harmônica e mais compassiva.

Mostre-se solidário. Lembre-se de que vocês não são os únicos que demandam cuidados da equipe. Sempre que surgir alguma necessidade, antes de chamá-la, faça-se uma pergunta simples: "Isso realmente precisa ser resolvido agora? Ou posso aguardar até que alguém venha nos avaliar em sua rotina normal?" Parece pouco, mas repetidas interrupções nas atividades que exercem estão entre as principais causas de erro dos profissionais de enfermagem, além de aumentar significativamente os níveis de estresse deles (certa vez, uma enfermeira me confidenciou, exausta, que sonhava com o dia em que seria capaz de começar uma tarefa e terminá-la sem ser interrompida por médicos, campainhas ou familiares de pacientes). Se a demanda que você quiser fazer não for nada urgente nem importante, aguarde alguns minutos. Se preferir, anote para não se esquecer dela. Essa atitude colaborativa, buscando respeitar as necessidades dos outros, pode se estender para além da equipe. Se houver outro(s) paciente(s) dividindo o quarto com vocês, ofereça-se para pequenas gentilezas, como "ficar de olho" enquanto um acompanhante precisar sair por alguns minutos ou pegar um café para ele na cantina. Ouça as histórias dos companheiros de quarto, mostre interesse em saber como outras pessoas lidam com situações complexas (muitas vezes, são mais complexas que a de vocês). Aprenda com eles enquanto oferece ajuda. Ser solidário demonstra percepção do cuidado como algo que é responsabilidade de todos, o tempo todo.

Seja gentil. Gentileza sempre gera gentileza. Técnicas avançadas e tecnologia de ponta ajudam a melhorar o tratamento das doenças (é o que buscamos nos hospitais), mas a gentileza ajuda a melhorar as pessoas (é o que buscamos em quem cuida de nós). Gentileza e compaixão para com os outros os ajuda a ajudar você, porque geram uma espécie de efeito cascata. Estudos realizados em universidades tão importantes como a Harvard e a Stanford examinaram a maneira pela qual o comportamento gentil ou generoso afeta outras pessoas, numa espécie de contágio irresistível, que tem por base a necessidade intrínseca dos seres humanos de se ajudar uns aos outros[28]. A melhor parte disso é que atitudes gentis não têm custo nenhum, são acessíveis a qualquer pessoa, não há limite para utilizá-las e seus efeitos mostram-se duradouros (às vezes até infinitos). Assim, são uma ótima estratégia se você espera tratamento mais acolhedor para você e para a pessoa que está sob sua responsabilidade. Sobretudo, seja grato. Reconheça quando perceber um esforço sincero da equipe para aumentar a segurança ou o bem-estar de vocês e valorize as atitudes que lhe toquem o coração. Boa parte do que os profissionais fazem no dia a dia (colocar uma música durante o banho, por exemplo) não está previsto nos protocolos institucionais. Fazem essas coisas porque percebem que trazem algum benefício para vocês e sentem-se felizes por isso. Foi o que os motivou a escolher profissões em que o cuidado do outro é o centro da atenção deles. Agradeça isso. A gratidão cria laços difíceis de explicar. Acredite: esses laços não têm preço.

EVITANDO MAIS DANOS

Quem não sabe o que procura não entende o que encontra.
Claude Bernard

Por mais assustador que possa parecer, em especial em momentos de grande fragilidade como uma crise aguda, é preciso saber que erros na rotina hospitalar são mais frequentes do que gostaríamos. Medicações administradas de modo incorreto (ou em doses inadequadas), exames mal indicados ou registros inverídicos no prontuário estão entre os erros que observamos com mais frequência. Não se sinta constrangido em perguntar que medicação está sendo administrada naquele momento (e para que ela serve) ou qual o motivo de determinado exame, nem em esclarecer qualquer outra dúvida que tenha. Isso não faz de você um paranoico. Na verdade, é parte do seu papel zelar pela segurança do paciente e evitar ainda mais danos, e constitui um aprendizado importante para quando vocês forem para casa. Apenas faça as perguntas de maneira gentil. Caso julgue necessário, anote as medicações que estão sendo administradas e converse com o médico sobre elas. O volume de medicações desnecessárias e potencialmente prejudiciais costuma ser surpreendente e raras vezes é percebido pela equipe médica. Uma conversa sobre a prescrição poderá ajudar o médico a reduzi-las, permitindo que ele olhe com mais cuidado a lista de remédios e as interações entre estes. Da mesma forma, sugira que talvez não seja necessário coletar amostras de sangue todos os dias ("Doutor, tem algum problema se não repetirmos os exames de sangue amanhã? É absolutamente necessário monitorar esses exames laboratoriais com tanta frequência?"). Essas sugestões estimulam o médico a fazer uma pausa na rotina protocolar impensada e individualizar as condutas (que é exatamente nosso objetivo aqui).

Outra situação comum são os *achados incidentais*, ou seja, anormalidades encontradas em exames que foram solicitados por outros motivos (ou até por mera formalidade) e que acabam sendo inseridas no rol de diagnósticos atrelados ao paciente (por exemplo, cálculos na vesícula ou nos rins, níveis de colesterol um pouco mais elevados ou alguma alteração no eletrocardiograma). Embora sejam achados que não estão exercendo nenhum impacto na condição atual da pessoa, é comum que os médicos queiram "aproveitar a internação para resolvê-los". Esse ímpeto de propor uma solução para cada problema encontrado está na base da *fast medicine* atual e resulta em acréscimos pouco úteis à já extensa lista de medicamentos – ou até em procedimentos invasivos desnecessários e, por vezes, deletérios. Além disso, é um ímpeto que desvia o foco do que realmente importa, gerando uma cascata sem fim de condutas e novos exames. Nem tudo precisa ser resolvido de imediato (na verdade, nem tudo precisa sequer ser resolvido). Trazer à luz a sensatez é vital para manter o bem-estar da pessoa no topo das prioridades. Mais uma vez, é hora de fazer perguntas de ouro:

» Se não tomarmos nenhuma atitude em relação a esse novo problema encontrado, o paciente terá algum tipo de prejuízo?
» Podemos resolver isso em outro momento, numa situação mais favorável?
» Essa alteração encontrada vai trazer algum malefício para o paciente em curto/médio prazo?

Tal atitude previne complicações desnecessárias e promove uma postura nova em relação às estratégias de cuidado, pautada pelo "pensar antes de agir" e pelo raciocínio lógico centrado nas necessidades do paciente. Quando falamos da prevenção – o quinto princípio da *slow medicine* –, estamos nos referindo a prevenir não só problemas de saúde, mas também complicações desnecessárias e o consequente impacto delas na saúde dos indivíduos. Fazer mais nem sempre é fazer melhor.

ESTÁ NA HORA DE IR PARA CASA

Voltar quase sempre é partir/ para um outro lugar.
Paulinho da Viola

Segundo Dennis McCullough, "os hospitais enxergam a si mesmos como iniciadores de tratamentos e provedores de serviços técnicos, não como locais para recuperação completa".[29] Isso é mais ou menos o que você vai ouvir da equipe de saúde. Serão frases como "Não há nada que estejamos fazendo aqui que você não possa oferecer na sua casa". Ou "Não há mais indicação médica para mantê-lo internado. Quanto mais tempo ele ficar aqui, mais riscos correrá". Soará não como sugestão, mas como decisão já tomada, da qual vocês provavelmente não participaram ativamente. Sintam-se vocês preparados ou não, seguros ou não, confortáveis ou não, a alta será dada em alguns dias, e vocês serão responsáveis por fazer as adaptações estruturais, sociais ou emocionais que forem necessárias. Antes que o pânico se instale, cabe uma ressalva: eles estão certos. Os hospitais são péssimos lugares para a recuperação completa de pacientes, pois oferecem mais riscos que benefícios. O receio de levar para casa um paciente ainda não de todo restabelecido está mais relacionado a desconhecimento ou falta de informação do que a riscos reais para a saúde dele. Isso significa que é hora de você aprender o que puder e se antecipar nos ajustes a fazer antes da alta. Você precisa ser proativo. Ofereça-se para participar de rotinas do cuidado, como banhos ou trocas de curativo, e procure aprender com a equipe como se faz (aliás, enfermeiros e técnicos em enfermagem costumam gostar de mostrar a forma correta de executar procedimentos de cuidado).

Também é um bom momento para falar com o médico sobre prognóstico e futuras complicações. A situação mudou, e você precisa compreender a magnitude dessa mudança. É possível (e desejável) que a rotina após a primeira crise seja muito semelhante à anterior, embora vocês tenham agora uma bagagem de conhecimento maior sobre a doença, os procedimentos hospitalares e as atitudes preventivas de novos episódios. No entanto, é provável que a vida não volte a ser como era antes. Talvez sejam necessários cuidados mais intensos e contínuos, eventualmente até assistência profissional domiciliar, ainda que temporária. A melhor estratégia de cuidados dependerá da condição de saúde do paciente ao ir para casa; das perspectivas de melhora de tal condição; das novas complicações que possam surgir depois; e, sobretudo, das ideias de vocês a respeito de tudo isso. Assim, uma conversa franca com o médico costuma ser o divisor de águas entre o cuidado adequado e o cuidado negligente ou ineficiente. Seja claro nas perguntas e mostre-se preparado para ouvir respostas sinceras, mesmo que dolorosas. Algumas informações são cruciais:

» Existe alguma possibilidade de o paciente se recuperar por completo? Ou a partir de agora só teremos perdas progressivas? O que essa crise significa em termos de prognóstico?

- » Esse tipo de crise pode acontecer de novo? Qual é a probabilidade de termos de lidar com isso outras vezes?
- » Há alguma atitude a tomar para evitar que a mesma crise aconteça outra vez?
- » Que tipo de assistência ajudaria na recuperação? (Essa pergunta é particularmente importante, pois os médicos não costumam pensar em abordagens não medicamentosas, como fisioterapia, psicologia, cuidados de enfermagem, fonoaudiologia, nutrição, terapia ocupacional etc. Se lhe parecer pertinente, pergunte sobre esse tipo específico de apoio para após a alta médica e como obtê-lo).
- » Há alguma adaptação que possamos fazer em casa para ajudá-lo? (Por exemplo, retirar as portas do boxe, alargar portas de acesso para passagem de cadeira de rodas, providenciar uma cama específica ou cadeira de banho, instalar barras de apoio em pontos estratégicos etc.)

Esse tipo de orientação costuma ser negligenciada pelos profissionais da saúde, que priorizam os aspectos mais técnicos do cuidado (medicamentos e curativos, por exemplo). No entanto, faz enorme diferença na qualidade da assistência prestada, promovendo conforto e, sobretudo, ajudando a prevenir novas complicações. Não espere pela alta médica consumada para obter tais informações. Você pode ser proativo, o que lhe dará tempo para providenciar as adaptações necessárias. Além disso, o movimento de compreender melhor o que está por vir constitui um grande instrumento de aproximação entre você e a pessoa querida.

Juntos por esse tempo mais longo no hospital, ouvindo e falando sobre a doença, captando informações e, principalmente, refletindo sobre tudo isso, vocês podem iniciar uma nova etapa da relação, fortalecendo a confiança e o compromisso. Quase sempre é um bom momento para ter conversas mais íntimas a respeito de anseios, esperanças, medos, preocupações. Muitas conversas sobre diretivas antecipadas de vontade (falaremos delas um pouco mais à frente) se iniciam na primeira crise.

Júlia já estava bem melhor. Quatro dias antes, quando tinha sido internada às pressas por causa de convulsões graves que a deixaram desorientada e sonolenta, o marido, Pedro, chegou a pensar que não a teria de volta. A causa das convulsões era ainda mais assustadora: o câncer de mama tinha comprometido o cérebro. Agora, já medicada, Júlia havia recobrado a consciência, e as convulsões estavam bem controladas. Os médicos definiram uma estratégia, na qual se incluía radioterapia e reabilitação, e em poucos dias os dois provavelmente estariam em casa com a filha, Débora, de 5 anos.

Era o meio da tarde, aquele momento em que a enfermaria já está mais tranquila, todos os procedimentos do dia foram realizados, o médico já passou em visita e o ambiente começa aos poucos a ficar mais aconchegante para o anoitecer. Pedro estava sentado ao lado dela, os dois de mãos dadas, em silêncio. Olhavam um para o outro, falavam sobre algum fato sem importância e voltavam a silenciar. Foi Júlia quem quebrou o gelo:

"Pedro, e se eu tivesse ido embora?"

Ele olhou para Júlia, entre assustado e admirado, mas resistiu ao impulso de dizer que aquilo era bobagem, que o importante era ter dado tudo certo. Respirou fundo e respondeu, com toda a honestidade dolorida que o invadia:

"Essa hipótese me passou algumas vezes pela cabeça. Foram dias extremamente difíceis. Pensava o tempo todo em como seria se você não voltasse para casa, em como eu conseguiria conversar com a Débora... Me dei conta de quanto você é importante na nossa vida e de como não estamos preparados para perder você."

Após uma pausa para que as lágrimas nos olhos de ambos encontrassem seu caminho, Júlia respondeu:

"Eu sei que é difícil, sei que dói. Mas a gente sabe que esse momento vai chegar. E talvez seja menos difícil se a gente conversar mais sobre isso desde já."

A partir daí, a conversa dos dois não parou. Às vezes mais direta, às vezes cheia de metáforas, outras vezes permeada de alguma piada sobre eles mesmos. Pedro perguntava a Júlia sobre cada detalhe que lhe parecesse importante – da rotina de Débora à senha do banco –, mas principalmente as prioridades da esposa. Seus medos, suas dúvidas, seus desejos. Aos poucos, foi capaz de assumir as responsabilidades sobre a filha e criou uma rede de apoio que dava a Júlia a certeza de que tudo ficaria bem. Fizeram todo o planejamento juntos, vivenciando o adoecer da forma o mais serena possível.

A comunicação franca e delicada que se estabeleceu entre os dois naquela primeira internação foi crucial para que a partida de Júlia, meses depois, se desse de forma mais digna e menos sofrida. Pedro sabia o que fazer a cada novo desafio. Suas conversas com Júlia lhe deram a ferramenta mais valiosa para os processos de tomada de decisão que sempre entremeiam a trajetória dos pacientes oncológicos: Pedro conhecia profundamente os desejos, as prioridades, os medos, as expectativas e os valores pessoais dela. Apesar da tristeza inevitável, Júlia foi embora com serenidade, numa manhã chuvosa, ao lado do marido, depois de ter-se despedido da filha com uma tarde inteira de abraços apertados.

Estação 5 – Recuperação e estabilidade

Como vai ser daqui para a frente?
L. J. P., filho

Após a montanha-russa de emoções vividas durante uma crise, inicia-se uma fase completamente nova, em geral com menos surpresas, mas nem por isso menos desafiadora. Mesmo quando conseguimos a recuperação completa da condição que nos levou ao hospital, a proximidade de uma situação extrema – na qual nosso controle é mínimo e os riscos são altos – nos permite uma percepção mais clara da corda bamba em que estamos caminhando. Dependendo do motivo que interrompeu a serenidade da Estação do Comprometimento, a perspectiva da terminalidade pode ter sido abruptamente trazida para bem diante de nossos olhos. A descoberta da progressão do câncer, por exemplo, é uma dessas situações. Se na Estação do Comprometimento aprendemos a administrar a doença, conviver com ela e considerar aceitável (e até confortável) esse convívio, a Crise nos mostra, sem rodeios, o tamanho do problema, e agora teremos de lidar com isso.

É um momento de muitas dúvidas, reflexões e mudanças de perspectiva. Ao mesmo tempo que nos questionamos sobre o que fizemos de "errado" para ter desencadeado a crise, precisamos pensar em estratégias para não só prevenir novos incidentes como também trabalhar a realidade de que, apesar de nossos enormes esforços, outras crises poderão acontecer (na verdade, é quase certo que acontecerão). Além disso, é provável que precisemos tomar decisões importantes a respeito do próprio tratamento oncológico. Talvez proponham uma nova linha de tratamento, com efeitos colaterais que ainda não conhecemos e resultados difíceis de prever; ou tratamentos adicionais pouco familiares, como radioterapia ou cirurgia, que representam mais uma ameaça à sensação de segurança que almejamos. Você pode olhar para aquela pessoa tão querida, agora fragilizada pelos acontecimentos recentes, e se perguntar se ela terá a disposição e a energia necessárias para enfrentar tudo isso. E, no momento seguinte, talvez seja tomado pela certeza de que ela conseguirá arrebanhar forças de lugares inimagináveis para continuar. Não se deixe dominar por angústias e incertezas, nem se perca em devaneios sobre o que poderia ter acontecido ou o que o futuro lhes reserva. Nesse momento, a prioridade é fazer um "levantamento dos danos" antes de tomar quaisquer decisões definitivas.

CONTABILIZANDO PERDAS

Nem todas as perdas são vida jogada fora. Algumas são necessárias.
Lya Luft

Durante a Estação do Comprometimento, aprendemos a avaliar o grau de funcionalidade da pessoa que está doente, mais ou menos como os geriatras costumam fazer com os idosos. Agora é hora de rever aquela avaliação. A Estação de Crise teve algum impacto em seu nível de funcionalidade, independência e autonomia? A pessoa continua sendo capaz de executar as atividades instrumentais da vida diária? E as atividades básicas? Caso se identifiquem perdas naquela funcionalidade, elas são reversíveis? Ou serão progressivas?

As respostas a todas essas perguntas dependem, é claro, da condição clínica do paciente, mas também de sua resiliência e sua capacidade de superação, ambas muito ligadas à personalidade e à motivação que ele é capaz de encontrar em meio à vivência do câncer. As respostas são tão únicas quanto cada ser humano (e, por isso mesmo, difíceis de responder), mas são respostas importantes, que terão influência direta na forma como se estruturará a vida de todos nessa fase. Uma noção realista da situação atual e um objetivo claro em mente (recuperar o que for recuperável pelo maior tempo possível) determinarão os acontecimentos futuros.

Estamos falando aqui de uma lista infinita de possibilidades, tão heterogêneas quanto o próprio câncer. A crise pode ter sido desencadeada apenas por algum efeito colateral do tratamento oncológico, como uma infecção adquirida devido à imunidade comprometida; nesses casos, a recuperação provavelmente será completa, exigindo talvez algum ajuste no tratamento. Mas, no cenário do câncer metastático, grande parte das internações e emergências está relacionada à própria doença, o que complica um pouco as coisas[30]. Independentemente do cenário vivenciado nesse momento, é preciso entender onde estamos para definir para onde vamos. Olhe de forma analítica tudo que está acontecendo. Procure adotar uma postura mais pragmática e objetiva (se for incapaz desse olhar, os profissionais de saúde envolvidos até o momento podem ajudar). De maneira geral, conseguimos identificar alguns pontos que merecem maior atenção.

O nível de consciência da pessoa talvez seja o maior determinante na organização dos cuidados e nas estratégias de recuperação. Pacientes com comprometimento das funções cognitivas (ou seja, com algum nível de incapacidade para compreender situações e tomar decisões adequadas) não apenas exigem o cuidado contínuo de outros, como também "terceirizam" as decisões desse cuidado, o que pode facilitar ou dificultar a situação. Avalie a capacidade cognitiva tomando por base a capacidade que a pessoa tinha alguns meses (ou semanas) antes. A compreensão do que acontece ao redor continua no mesmo nível? Ou ela está mais sonolenta, menos contactante? Confunde nomes, datas e fatos? Consegue expressar o que está sentindo (dor, fome, frio, vontade de ir ao banheiro)? Mantém-se capaz de decidir o que deve ser feito? Ou propõe soluções desconexas? Caso o nível de consciência esteja comprometido, é importante entender se isso é transitório ou definitivo. O déficit é reversível em certas ocorrências, como infecções, algumas alterações de exames de sangue ou uso de determinadas medicações. Mas o déficit é por vezes permanente em outros casos, como metástases cerebrais extensas ou sangramentos intracranianos. Para organizar os cuidados de forma proporcional à situação, esclareça com a equipe médica o terreno em que estamos pisando.

Prejuízos da capacidade motora também precisam ser avaliados. Pacientes oncológicos podem enfrentar grande diversidade de complicações que comprometem em maior ou menor grau a força muscular e/ou a coordenação motora: entre outras, as fraturas ósseas, a perda de massa muscular, a fadiga intensa, as limitações motoras relacionadas a lesões cerebrais e a dor mal controlada. A limitação da capacidade de andar sem ajuda e executar as tarefas básicas do autocuidado tem óbvio impacto óbvio nas decisões a tomar, mas é comum que tal limitação seja subvalorizada pela família (e até mesmo pela equipe de saúde). É mais cômodo aceitar a ideia de que, se a pessoa sempre foi capaz de se cuidar sozinha, conseguirá recuperar rapidamente essa autonomia, sobretudo quando a perda se instalou de forma inesperada e súbita. Mas, no cenário oncológico, esse pressuposto não deve ser aceito resignadamente: negligenciar aquelas limitações talvez resulte em limitações ainda mais profundas, como as complicações de pacientes acamados (úlceras, tromboses, dores), acidentes domésticos e prejuízos emocionais. Avalie com critério. Se necessário, peça ajuda da equipe multiprofissional, em especial de um fisioterapeuta. Assim como no caso do comprometimento cognitivo, veja se estamos diante de uma limitação temporária ou irreversível.

Perdas nutricionais também são frequentes após complicações oncológicas, em particular depois de distúrbios gastrintestinais (por exemplo, episódios de diarreia e/ou vômitos, obstruções intestinais ou hemorragias digestivas). Atente à atual capacidade de alimentação do paciente, ao que mudou nas últimas semanas, aos possíveis desconfortos que tenha quando come. Há alimentos que lhe são mais confortáveis ou apetitosos? Algum alimento lhe é intolerável ou causa algum tipo de sofrimento? O funcionamento intestinal tem-se modificado em reação a este ou aquele alimento? A quantidade que tem conseguido ingerir é diferente do que costumava ser? São informações importantes para compartilhar com o nutricionista ou o médico no próximo contato com eles e ajudarão a definir estratégias de nutrição que gerem impacto positivo na qualidade de vida.

Por fim, não se devem negligenciar possíveis perdas emocionais. Muitas vezes, a Estação de Crise que agora começa a ser superada veio acompanhada de péssimas notícias, como a progressão do câncer, sequelas permanentes ou uma piora clínica que poderá comprometer a continuidade do tratamento oncológico. Isso significa que precisaremos lidar com a esperança de melhorar as condições atuais ao mesmo tempo que vislumbramos tempos difíceis, um futuro desconcertantemente incerto – e é improvável que isso passe despercebido por quem está vivenciando os acontecimentos na própria carne. Aqui, mais uma vez, a estratégia de "tirar o elefante da sala" se mostra útil[31]. Pergunte. Mantenha o canal de comunicação aberto. Aproveite toda oportunidade em que aflorarem assuntos como medo, angústia, incerteza ou tristeza. Compreender como a pessoa tem lidado emocionalmente com cada etapa do processo e acolher essas emoções sem julgamento favorece o alívio do desconforto. É possível que também evite diagnósticos prematuros (e incorretos) de depressão ou ansiedade e, em consequência, tratamentos desnecessários. E não espere que os profissionais da saúde priorizem esses aspectos: eles costumam ser os primeiros a negligenciar questões emocionais quando têm problemas práticos para resolver e, com facilidade surpreendente, confundem tristeza com depressão.

COM A MÃO NA MASSA

Recuperação se refere a progresso, não a perfeição.
autor desconhecido

É comum que, após uma crise que colocou todos em estado de alerta, a rede de apoio se mobilize ainda mais para evitar outra experiência assustadora, na tentativa de reaver algum controle e retornar à "normalidade" anterior. Em poucos dias, começam a surgir ideias e iniciativas com aquele objetivo: indicações de especialistas que podem dar um jeito na situação, exames com alta tecnologia, tratamentos experimentais, simpatias, dietas anticancerígenas, pílulas milagrosas e tantas outras coisas. Não há nada de errado em mobilizar esforços para tentar melhorar a situação, mas infelizmente é comum que as ideias sugeridas sejam demasiado simplistas ou desproporcionais. A questão é que tais esforços precisam estar direcionados para estratégias que farão mesmo diferença na vida das pessoas, e muitas vezes isso não acontece. A resistência humana a lidar com contextos desafiadores leva à negação e ao desperdício de tempo e energia em soluções que ajudam muito pouco (quando não atrapalham). O melhor caminho, aqui, é o do bom senso: converse com a equipe de saúde (toda ela, não apenas com os médicos), com outros pacientes (e seus familiares), com amigos que já passaram por algo parecido. Pessoas que já vivenciaram cenários semelhantes têm valor inestimável, sendo capazes de alertar para detalhes que nem nos passariam pela cabeça (aliás, em sites, redes sociais e outros meios existem grupos organizados com o objetivo de compartilhar experiências do tipo). Assistentes sociais também são inacreditavelmente úteis nessa nova fase (você ficaria boquiaberto tanto com as situações que já vivenciaram quanto com as formas criativas encontradas por eles para resolver problemas que pareciam insolúveis). Além disso, esses profissionais costumam ter uma rede de contatos impressionante para qualquer tipo de demanda.

Uma vez identificadas as perdas e a possibilidade de reabilitação de pelo menos algumas delas, entra em cena um elenco de profissionais cuja missão será recuperar o que for possível e evitar novas perdas desnecessárias. Fisioterapeutas, fonoaudiólogos, psicólogos, terapeutas ocupacionais e profissionais da enfermagem ajudam a transformar a Estação de Recuperação e Estabilidade numa fase mais otimista, permeada de pequenas vitórias. O fato de não mais se estar no ambiente estéril do hospital, por si só, já favorece esse clima mais ameno. Os procedimentos se realizam de forma mais organizada e sem tanta pressa, e em geral há espaço para conversas íntimas com os profissionais envolvidos. O que começa com uma sessão de fisioterapia, por exemplo, depressa se transforma no acolhimento de uma angústia ou insegurança. Dúvidas podem ser esclarecidas num ambiente de maior confiança e conforto. Experiências podem ser trocadas com os profissionais, trazendo a boa sensação de que vocês não são os únicos a enfrentar uma situação desafiadora.

A percepção de que o controle das coisas está voltando para as mãos de vocês é acolhedora e reconfortante, e suspiros de alívio passam a fazer parte da rotina. É uma boa ideia aproveitar o início dessa fase para descansar um pouco e recobrar as energias (as suas e as do ente querido). Também é um bom momento para construir uma nova rede de apoio profissional fora das paredes do hospital. Aquela mesma equipe de fisioterapeutas, fonoaudiólogos, psicólogos, terapeutas ocupacionais, enfermeiros e outros talvez se mostre utilíssima no futuro, e vínculos de confiança e intimidade serão fundamentais para que vocês se sintam amparados. Invista tempo e atenção nessas parcerias. Organize uma lista com os nomes e contatos dos profissionais com os quais vocês se identificaram mais. Informe-se sobre a possibilidade de atendimento domiciliar (caso a assistência venha sendo realizada em centros de reabilitação), eventuais custos financeiros, necessidade de agendamento antecipado ou de equipamento específico. Esteja presente às sessões sempre que isso for possível.

Pequenas reformas estruturais na casa do paciente, aluguel de equipamento (cadeira de rodas, cadeira de banho, cama hospitalar etc.), serviços domiciliares, orientações nutricionais personalizadas e atividades físicas orientadas de acordo com as possibilidades da pessoa são exemplos de iniciativas que fazem grande diferença ao custo de um esforço relativamente pequeno. Evite "pacotes assistenciais prontos", em que por vezes se incluem serviços desnecessários e se excluem demandas importantes. A individualização volta a fazer parte da vida de vocês e deve ser preservada. A Estação de Recuperação e Estabilidade é uma grande oportunidade para fortalecer a autonomia e o autocuidado, e não estou falando necessária ou exclusivamente do cuidado que a pessoa é capaz de oferecer a si mesma. Incluo também todo aquele que não depende de profissionais da saúde. O cuidado adequado prestado por pessoas motivadas pelo vínculo afetivo que as conecta tem um impacto positivo óbvio, mas difícil de medir. É uma daquelas coisas que guardam enorme valor, mas não vêm com o preço marcado.

Pode-se criar uma escala mais organizada de cuidadores, envolvendo outros familiares, amigos ou membros de comunidades, que passam a dedicar mais tempo ao cuidado. Pode ser ainda que, depois de terem analisado todos os ângulos da situação, a decisão unânime seja pela transferência de domicílio para a casa de um filho ou outra pessoa próxima, ainda que em caráter provisório, até que a recuperação esteja mais consistente. Toda essa movimentação é necessária e benéfica para o doente, mas é importante ressaltar que flexibilidade e adaptações pessoais serão cruciais para que as mudanças não se transformem em motivo de conflitos. Às vezes, é necessário algum tempo para que todos digiram devidamente as adaptações necessárias. Utilizar bem esse tempo é valioso.

A mudança na saúde e na funcionalidade de alguém tem um impacto inesperado no próprio funcionamento familiar, sobretudo quando a pessoa debilitada tinha grande autonomia e muita energia ou, então, era bastante reservada. Não apenas o ambiente passa a ter outro aspecto visual, com móveis em lugares adaptados e equipamento médico dominando o ambiente, mas também os cheiros, a iluminação e o clima se transformam por completo. O sofá da sala é empurrado para perto da parede para que a cadeira de rodas possa ficar em frente à televisão. A cama do quarto é substituída pelo enorme leito hospitalar. O vasinho que ficava na cabeceira é guardado para que se acomodem os medicamentos de uso diário. O quadro de avisos da cozinha está agora cheio de receitas de medicamentos, números de telefone de hospitais e médicos e lembretes com as datas das próximas consultas. Luvas, gazes, frascos de soro e outros apetrechos podem estar espalhados em cima da pia do banheiro, e uma quantidade agora bem maior de toalhas ocupa o espaço embaixo. Além das mudanças estruturais, toda a rotina da rede de apoio costuma ser alterada. Dependendo das demandas do paciente, é possível que um ou mais membros da equipe precisem adaptar ou mesmo abandonar o emprego ou as atividades do dia a dia para se dedicar ao cuidado. Questões relativas à privacidade (ou, mais precisamente, à perda dela) se tornam parte do cotidiano. Com alguma sorte, essas mudanças se dão aos poucos, no decorrer de semanas a meses, dando tanto ao paciente como à rede de apoio tempo para se adaptar. É sempre boa ideia facilitar a vida e evitar desperdício de tempo. Medidas simples como pedir para entregar compras de mercado em casa, desmarcar compromissos não essenciais, livrar-se de móveis e objetos inúteis e até se mudar para um ambiente mais funcional costumam economizar tempo e trazer leveza à vida. Simplifique.

Em *The art of dying well* [A arte de morrer bem], Katy Butler escreve:

> À medida que a energia se torna um recurso precioso e limitado, simplificar as coisas é ferramenta de sobrevivência. Aprendi a me prevenir contra "a doença de só mais uma coisa" – a tentativa de encaixar só mais um cinema, jantar, viagem de carro ou festa dentro do final de semana. Meu marido e eu descobrimos que, quando fazemos menos, desfrutamos mais aquilo que fazemos. Tentamos priorizar o que nos é mais significativo e confortável e nos traz alegria. É um bom momento para pensar no que você valoriza e se certificar de que está investindo sua preciosa vida nisso.[32]

A Estação da Recuperação e Estabilidade se refere a isso. Ela nos traz a oportunidade de ressignificar nossos atos, rotinas, escolhas, palavras. Não precisamos da perfeição. Precisamos apenas ir em frente.

QUALIDADE DE VIDA

A vida é aquilo que acontece enquanto
você está ocupado fazendo outros planos.
John Lennon

Embora inúmeras definições de qualidade de vida já tenham sido escritas através dos tempos, sempre me pareceu extremamente difícil entender o que ela significa, na prática, para os pacientes, em especial os que convivem com um câncer avançado. Quem procurar no dicionário, vai encontrar algo como "estado de saúde, bem-estar e felicidade vivenciado por uma pessoa ou grupo". A Organização Mundial da Saúde (OMS) traz uma definição um pouco mais ampla: "A percepção individual do papel da pessoa na vida de acordo com o sistema de valores e com o contexto cultural no qual ela vive e em relação a seus objetivos, expectativas, padrões e preocupações".

Ainda assim, acessar esse estado de "fazer as pazes" com a própria vida parece algo muito distante da realidade de quem precisa lidar com uma doença complexa como o câncer, com seu impacto inclemente sobre o conforto físico, emocional, social e financeiro. Eu observava pacientes que haviam sido submetidos a cirurgias mutiladoras, ou que tinham comprometimento grave da capacidade de se comunicar ou, ainda, dores tão crônicas que não se lembravam mais de ter passado um dia sem elas, e pensava: "Puxa, eu não conseguiria viver feliz numa situação como essa". Mas, depois de tantos anos compartilhando as experiências de pacientes com câncer nas mais diversas fases da doença, aprendi que minha percepção de como a doença interfere na vida das pessoas pouco importa. Não faz a menor diferença para elas se acho intolerável sentir dor, vomitar toda manhã ou não conseguir dormir direito. Também não importa se considero que ficar alguns dias sem me alimentar é algo aceitável, ou se não participar de uma reunião familiar é normal. Meu ponto de vista não está em questão. É o deles que está. Qualidade de vida é o que o paciente diz que é, e precisamos acessar essa informação.

Em seu livro *Mortais*, o cirurgião oncológico Atul Gawande conta a história da médica paliativista Susan Block e do pai, Jack, professor emérito de psicologia na Universidade da Califórnia.[33] Aos 74 anos, Jack Block tinha acabado de receber o diagnóstico de tumor na medula espinhal, na altura do pescoço, que estava comprimindo as raízes nervosas, com risco iminente de deixá-lo tetraplégico. Havia a possibilidade uma cirurgia para retirada do tumor, mas a probabilidade de, ainda assim, ele perder os movimentos do pescoço para baixo estava em torno de 20%. Embora Jack estivesse extremamente desconfortável, Susan, no dia anterior à cirurgia, se deu conta de que não fazia sentido deixá-lo ser submetido a um procedimento no qual tantas coisas poderiam dar errado sem, primeiro, certificar-se de quais eram as expectativas do pai. Numa conversa difícil e angustiante, sentou-se com ele e fez as perguntas que costumava fazer aos próprios pacientes antes de decisões difíceis, entre elas: "Preciso entender as situações pelas quais você está disposto a passar para ter uma chance de permanecer vivo e que tipo de vida é tolerável para você". A resposta deixou Susan estarrecida: "Bem, se puder tomar sorvete de chocolate e assistir ao futebol na TV, eu me disponho a continuar vivo. Estou disposto a suportar muita dor se tiver chance de fazer essas coisas". Susan não imaginava que o pai fosse dizer algo assim. Mal sabia da paixão dele por futebol americano! Essa conversa surpreendente acabou sendo crucial quando, logo após a cirurgia, Jack teve sangramento na medula e os médicos conversaram com ela sobre uma nova abordagem cirúrgica para conter o quadro, ressaltando que era provável que aquela complicação já o tivesse deixado tetraplégico de modo irreversível. Susan perguntou à equipe médica se, caso Jack sobrevivesse, ainda seria capaz de tomar sorvete e ver TV. Diante da resposta afirmativa, autorizou a cirurgia. Susan contou depois que, caso a conversa com o pai não tivesse acontecido, ela provavelmente o teria deixado partir e talvez se perguntasse pelo resto da vida se tinha tomado a melhor decisão.

Compreender o preço que cada um está disposto a pagar para se manter vivo não é tarefa fácil. Exige empatia, coragem e boa comunicação entre os envolvidos. É preciso fazer as perguntas certas, nos momentos certos, e estar preparado para quaisquer respostas – inclusive para aquelas em tudo contrárias a nossos valores. Além disso, as respostas podem mudar a qualquer momento. Uma mulher para a qual seria absolutamente intolerável perder os cabelos pode passar a considerar isso perfeitamente aceitável se lhe permitir mais alguns meses com os filhos. Um senhor que julgava impensável permanecer acamado e dependente de cuidados dos outros talvez esteja disposto a passar por isso se puder participar de reuniões familiares e desfrutar da companhia dos netos. As pessoas se adaptam a situações inimagináveis. Elas têm a resiliência intrínseca que lhes permite enxergar suas prioridades por outro ângulo, e isso confere significado ao sofrimento. Repetindo Viktor Frankl, que vivenciou os horrores dos campos de concentração nazistas, "o homem está pronto para suportar qualquer sofrimento, desde que e enquanto consiga ver nisso um significado". É do que estamos falando quando nos referimos à percepção que cada um tem de sua qualidade de vida: um grande sofrimento será tolerável se houver um significado valioso por trás dele, e um desconforto mínimo será torturante se esse significado não existir.

A percepção de quanto se está disposto a suportar para considerar que a vida vale a pena é tão individual que até a morte pode ser preferível a determinadas situações. Um estudo avaliou prospectivamente 180 pacientes com doenças graves hospitalizados na Filadélfia entre julho de 2015 e março de 2016[34]. Pacientes de 60 anos ou mais, com diagnósticos de câncer avançado, falência cardíaca grave ou doença pulmonar aguda, foram questionados sobre disfunções físicas ou cognitivas específicas; dependência de suporte artificial para manutenção da vida; e dependência de cuidados de outras pessoas. Os pesquisadores lhes pediram que indicassem quais daquelas situações lhes pareciam piores que a morte; nem melhores nem piores que a morte;

discretamente melhores que a morte; consideravelmente melhores que a morte; ou muito melhores que a morte. Os resultados foram surpreendentes. Mais de metade dos entrevistados achava que viver com incontinência fecal ou urinária (isto é, a incapacidade de controlar o funcionamento dos intestinos ou da bexiga) era muito pior que morrer. Porcentagem semelhante respondeu que preferiria morrer a precisar de aparelhos para respirar. Metade considerou que viver irreversivelmente acamado era pior que a morte, e parcela significativa não toleraria situações como permanecer confuso a maior parte do tempo, precisar de cuidados de outras pessoas o tempo todo ou ter de se alimentar por sonda. É no mínimo intrigante que a maior parte dessas situações tidas como piores que a morte resulta de procedimentos que os médicos costumam considerar corriqueiros e inevitáveis – e cujo impacto na vida do paciente é tão negligenciado que, com frequência, ele nem sequer seja informado dos possíveis desdobramentos daquelas intervenções. Infelizmente, não é incomum ouvirmos pessoas contarem, desoladas, que, se soubessem como seria viver com esta ou aquela limitação, jamais teriam permitido que os médicos realizassem os procedimentos...

A Estação de Recuperação e Estabilidade é bom momento para refletir sobre as questões relacionadas à qualidade de vida, não apenas a atual, mas também a futura. Durante a evolução do câncer, é muito provável que sobrevenham outras Estações de Crise. À diferença do que acontece no processo normal de envelhecimento (em que a deterioração da funcionalidade segue curva semelhante a um declive mais ou menos suave), a pessoa com câncer avançado por vezes acumula disfunções importantes em um curto período, às vezes de semanas a poucos meses, e o processo costuma se acelerar após a primeira crise. Embora depois de cada crise o paciente possa se recuperar de modo mais eficaz que alguém apenas em processo de envelhecimento, essa recuperação na maioria das vezes não é completa nem se mantém estável por períodos muito prolongados. A cada crise, inaugura-se uma nova forma de viver, e é importante entendermos se o novo formato continua sendo percebido pelo paciente como uma vida que vale a pena viver. As perguntas de ouro dessa fase são as seguintes:

» Como você está se sentindo quanto às limitações com que precisa lidar cotidianamente?
» O que seria intolerável para você?

» Do que sente mais falta em sua vida neste momento? O que você considera o mais importante de tudo?

O próximo passo é buscar estratégias que melhorem a qualidade de vida no contexto de uma situação clínica potencialmente irreversível que compromete tal qualidade de forma importante. Isso se chama *cuidados paliativos.*

CUIDADOS PALIATIVOS

E no meio de um inverno eu finalmente aprendi que havia dentro de mim um verão invencível.
Albert Camus

De acordo com a OMS, "cuidados paliativos são uma abordagem que melhora a qualidade de vida de pacientes (adultos e menores) e suas famílias quando enfrentam problemas relacionados a algum problema de saúde que ameace a vida. Essa abordagem previne e alivia o sofrimento mediante a identificação precoce, a avaliação correta e o tratamento da dor e de outros problemas, quer físicos, quer psicossociais, quer espirituais".

O conceito atual de cuidados paliativos, elaborado pela OMS ao longo dos anos, é cauteloso no sentido de descrevê-los não como especialidade ou profissão, mas como abordagem. Isso implica que os cuidados paliativos são mais uma postura diferente em relação a pacientes graves do que uma técnica ou tratamento específico.

Em *Mortais*, Atul Gawande conta sobre a conversa que teve com Sarah Creed, enfermeira americana de cuidados paliativos. Gawande a tinha acompanhado durante a visita a uma paciente com fibrose pulmonar e insuficiência cardíaca grave e ficado confuso não só com a preocupação de Sarah em ajustar as medicações que melhoravam a função cardíaca, mas também com o esforço da enfermeira em animar o espírito da paciente. Para Gawande, aquilo parecia ter como objetivo prolongar a vida, e sua ideia de cuidados paliativos era deixar a natureza seguir seu curso normal. Sarah respondeu calmamente: "O objetivo não é esse. A diferença entre o cuidado médico-padrão e os cuidados paliativos não está na diferença entre tratar e não fazer nada. A diferença está nas prioridades". Gawande então compreendeu bem as diferenças:

> Na medicina normal, o objetivo é prolongar a vida. Sacrificamos a qualidade da existência do paciente no presente – realizando cirurgias, oferecendo quimioterapia, colocando-o na unidade de terapia intensiva – em troca da chance de ganhar mais tempo no futuro. O serviço de cuidados paliativos utiliza enfermeiras, médicos, capelães e assistentes sociais para ajudar pessoas com doenças letais a ter a vida mais plenas que podem ter. [...] No caso de doenças terminais, isso significa concentrar-se em objetivos como manter o paciente sem dores e desconfortos, preservar suas faculdades mentais pelo máximo de tempo possível ou possibilitar que saia com a família de vez em quando – o importante não é determinar se a vida da paciente será mais curta ou mais longa.[35]

Embora as equipes de cuidados paliativos possam ser envolvidas em fases precoces das doenças oncológicas, é em geral na Estação de Recuperação e Estabilidade que sua atuação começa a se tornar mais proveitosa. Já temos consciência de que o paciente precisará conviver com a doença pelo resto da vida, de que a doença pode causar sofrimento e de que o futuro é incerto. Por outro lado, não temos clareza do tempo em que permaneceremos nessa fase relativamente estável antes que uma nova crise interrompa a calmaria. Também não sabemos quantas crises ainda teremos de enfrentar até que a doença nos mostre que o fim do caminho está próximo, nem qual será a natureza das crises futuras. Os avanços recentes da oncologia, com terapias-alvo moleculares, imunoterapia e tantas outras estratégias, têm possibilitado que pacientes com câncer metastático mantenham a doença sob controle por um tempo bastante longo, às vezes anos. A Estação de Recuperação e Estabilidade, independentemente de quanto dure, é uma fase que acarreta desafios importantes, nos quais os profissionais de cuidados paliativos costumam ser de grande ajuda.

O primeiro desafio é controlar sintomas e desconfortos. O câncer, por si só, costuma provocar sofrimentos físicos, emocionais, sociais e/ou espirituais intensos, complexos e prolongados. A abordagem interdisciplinar proposta pelos cuidados paliativos é reconhecidamente mais eficaz no alívio do sofrimento do que as condutas adotadas por profissionais sem formação na área.

Andréa tinha recebido o diagnóstico de câncer de mama muito cedo, logo após o aniversário de 28 anos. Fez a cirurgia de retirada da mama doente e iniciou a quimioterapia adjuvante, mas, ainda durante o tratamento, desenvolveu metástases ósseas na coluna e na bacia, o que foi um verdadeiro "balde de água fria" nos planos de concluir a faculdade. A dor que as metástases vinham lhe causando era intensa, e, apesar de várias tentativas de seu médico para controlá-las com analgésicos potentes, Andréa não sentia alívio nenhum. Não conseguia dormir e vinha tendo sintomas de ansiedade. Foi então internada na unidade de cuidados paliativos. Fizeram-se os ajustes necessários da morfina, associaram-se medicamentos adjuvantes para otimizar o controle da dor e se utilizou acupuntura, mas nada parecia diminuir o sofrimento. A mãe, dona Elisa, não saía do lado de Andréa e mostrava no olhar a desolação impotente dos que assistem tão de perto ao sofrimento dos filhos.

Na reunião semanal da equipe de cuidados paliativos, a médica se mostrou intrigada com o insucesso do tratamento. De acordo com os exames de imagem, a extensão das metástases não era de uma magnitude que justificasse tanta dor. Além disso, é incomum que a dor relacionada a metástases ósseas não melhore com a associação entre medicamentos, radioterapia e práticas complementares, como vinha sendo feito no caso de Andréa. A explicação só podia estar em alguma esfera não física da dor, mas a avaliação da psicóloga não conseguira identificar qual. Uma técnica de enfermagem então disse que Andréa parecia melhorar muito quando recebia a visita de uma colega de faculdade, mas que era raro a moça vir vê-la. A psicóloga e a assistente social se propuseram a abordar a paciente por um novo caminho e ver se compreendiam o que estava acontecendo.

Nos dias que se seguiram à reunião, foram várias as conversas. Aos poucos, Andréa contou que era homossexual e que, antes de o câncer ter aparecido, morava com a namorada, Camila, na cidade onde faziam faculdade. Dona Elisa, extremamente religiosa, nem imaginava isso, e muitas vezes Andréa a tinha ouvido criticar homossexuais, atribuindo as escolhas deles a obra do demônio e a falta de Jesus no coração. A perspectiva de precisar interromper os estudos e retornar para a casa da mãe era apavorante, menos pela doença do que pela provável ruptura do relacionamento com Camila. Andréa falava de tudo isso com uma angústia intensa e real.

Ante o novo ângulo pelo qual se começou a compreender aquela dor, traçou-se uma estratégia que abrangia o contato com a namorada, conversas em separado com dona Elisa e a abordagem psicológica de Andréa. A conversa mais importante, entre mãe e filha, foi mediada pela equipe e resultou na aceitação amorosa da homossexualidade de Andréa e na abertura de um diálogo que, havia muito, estava sendo varrido para debaixo do tapete. Dona Elisa foi clara:

"Filha, não tem o que eu não ame em você. Quero vê-la feliz e quero cuidar de você". Concordou que Andréa permanecesse na cidade onde morava com Camila e propôs que, para prestar auxílio, se mudasse para um apartamento perto do delas. Aproximou-se um pouco mais de Camila e passou a chamá-la de filha.

A dor de Andréa diminuiu. As doses de medicação foram sendo reduzidas, o sono melhorou sensivelmente, e, alguns dias depois, ela teve alta, passando a precisar tomar apenas uma dose baixa de morfina. O olhar da equipe para além da doença tinha sido mais eficaz do que qualquer remédio disponível nas prateleiras do hospital.

O segundo grande desafio é o que denominamos *ajuste das curvas expectativa-realidade*. Todos temos uma expectativa mais ou menos clara do que gostaríamos para nosso futuro. Se levamos a vida de tal modo que essas expectativas estão bem próximas da realidade, nós a percebemos como uma vida boa, com qualidade, feliz. Por outro lado, quando nossas expectativas estão alocadas muito acima das possibilidades reais, sentimo-nos frustrados e desmotivados. Quanto maior a distância entre nossa expectativa e nossa realidade, maior o risco de frustração e desespero, e pior a qualidade de vida.

As equipes de cuidados paliativos estão habituadas a trabalhar nestas duas vertentes: melhorar a realidade o máximo possível e ajustar as expectativas do paciente a ela. A realidade pode ser melhorada pelo controle impecável de sintomas físicos, emocionais, espirituais e sociais, como discutimos há pouco. Já o ajuste das expectativas exige uma abordagem empática e cuidadosa, baseada na comunicação eficaz e honesta, que permita compreender as limitações sem eliminar a esperança. Isso se dá, por exemplo, quando substituímos uma meta grandiosa inalcançável por pequenas metas alcançáveis. Estratégias do mesmo tipo permitem à pessoa desenvolver a resiliência, enxergando os pequenos ganhos ao longo do caminho e mantendo a esperança realista de uma vida mais significativa. Ajudar os pacientes com esse ajuste talvez seja o papel mais bonito e gratificante das equipes de paliativistas. É o caminho mais eficaz para nos prepararmos para o que quer que nos espere.

Viktor Frankl deu a essa capacidade o nome de *otimismo trágico*.[36] Segundo ele, o pensamento realista é mais maduro e mais útil para lidar com situações difíceis do que o aclamado pensamento positivo. Trata-se de vermos com clareza a realidade e aceitarmos o que é ruim, mas também termos consciência de que somos capazes de decidir como reagir a tudo que acontece, seja o que for. Podemos estruturar cada dia e administrá-lo de forma independente dos demais, um passo de cada vez, adaptando-nos aos acontecimentos mais recentes. Podemos preencher nossa vida com amor, bondade, tolerância, gentileza. Mais ainda: podemos decidir como queremos ser lembrados um dia.

DECISÕES DIFÍCEIS

Tudo me é permitido, mas nem tudo me convém.
Coríntios 6, 12

A Estação de Recuperação e Estabilidade é em geral menos assoberbada que a de Crise, mas está repleta de decisões importantes e, por vezes, angustiantes. Estamos falando de questões complexas – um novo tratamento oncológico, por exemplo. Para a grande maioria dos tipos de câncer em fase avançada, já se dispõe de opções de tratamento para utilizar após a falha da primeira abordagem. Denominamos esses tratamentos subsequentes *segunda linha*, *terceira linha*, e por aí vai. Alguns são capazes de resultados surpreendentes, com redução expressiva do volume das lesões cancerosas e impacto muito positivo na qualidade de vida. Em certos casos, conseguimos manter a doença sob controle durante um bom tempo, chegando a anos nos mais favoráveis. Entretanto, é preciso ter os pés no chão. Boa parte dos tratamentos de segunda, terceira ou demais linhas consegue algum controle do câncer apenas por poucos meses (se tanto) e à custa de efeitos colaterais significativos. Alguns desses medicamentos, aprovados pelos órgãos competentes, proporcionam ganhos medianos de tempo de vida de tão somente semanas...

Isso nos coloca num cenário de decisões difíceis. Os oncologistas tendem a superestimar os resultados possíveis de obter com os tratamentos, esquecendo que os pacientes que foram efetivamente incluídos nos estudos clínicos estavam geralmente em situações de saúde bem mais favoráveis (os participantes de estudos clínicos em geral estão em boas condições físicas, sem disfunções renais ou hepáticas, com boa funcionalidade e sem comprometimento de determinados locais – como o sistema nervoso central – pela doença). Mesmo quando lidamos com candidatos fisicamente perfeitos ao tratamento em questão, as expectativas pessoais deles talvez sejam incompatíveis com o que o tratamento pode oferecer. Os efeitos colaterais por vezes têm um impacto avassalador na vida deles (por exemplo, a perda da sensibilidade nas pontas dos dedos numa paciente cuja principal atividade é o bordado). Ou então a ideia que a pessoa faz de uma boa vida não abrange visitas frequentes ao centro de quimioterapia, com seus exames e administração de medicamentos, ainda que isso possa proporcionar algum tempo mais de vida. Aliás, as Expectativas de médicos e pacientes às vezes caminham para direções diametralmente opostas, com resultados frustrantes.

No livro *Knocking on heaven's door* [Batendo à porta do Céu], a jornalista americana Katy Butler conta a história do pai, Jerry Butler, vítima de múltiplas isquemias cerebrais que, ao longo dos anos, resultaram em limitações físicas e cognitivas progressivas, levando-o à dependência completa dos cuidados de outras pessoas, sobretudo da mulher.[37] Katy recorda com pesar que um marca-passo – colocado para prevenir complicações de uma cirurgia de hérnia inguinal, dois anos depois do primeiro acidente vascular cerebral – acabou contribuindo para prolongar uma vida de decadência e indignidade, o que comprometeu de forma irreversível a qualidade da existência não apenas dele, mas também da esposa. A implantação do marca-passo, algo absolutamente corriqueiro para a equipe médica na época, não levou em conta até que ponto o dispositivo poderia acarretar sofrimento. Enquanto o corpo e a mente de Jerry se desconectavam aos poucos da pessoa que ele era, o marca-passo impedia que seu coração simplesmente parasse de pulsar e, assim, deixasse que a natureza seguisse seu curso antes da decadência completa do corpo. Os anos adicionais de vida foram mais semelhantes a uma tortura do que ao que entendemos como vida. No cenário oncológico, não costuma ser muito diferente. Na direção oposta do que nos ensina o décimo princípio da *slow medicine*, sobre o uso parcimonioso da tecnologia, tendemos a sempre oferecer algo mais. Dependendo do grau de otimismo do oncologista e de quanto ele desconheça as expectativas de seus pacientes, as propostas chegam a ser, infelizmente, um tanto bizarras.

Seu Wilson tinha 74 anos quando apresentou crise convulsiva durante uma ida ao mercado. Já no pronto-socorro, diagnosticou-se grave tumor cerebral, extenso, ocupando grande parte da metade direita do cérebro. Seu Wilson foi submetido a cirurgia para ressecção parcial do tumor e, depois, a radioterapia e quimioterapia. As sequelas neurológicas que se instalaram, contudo, eram graves: após a cirurgia, ele recuperou a consciência, mas não a capacidade de compreender o que quer que acontecesse ao redor. Reagia vagamente a sons, não reconhecia pessoas, não conseguia comer nem se limpar sozinho. Todo o lado esquerdo do corpo tinha ficado paralisado. Passava os dias na cadeira de rodas, sendo nutrido por sonda. Fazia fisioterapia todo dia, com alguma melhora da força motora dos braços.

Mesmo com tantas limitações, as coisas pareciam ter-se estabilizado. Apesar do alto nível de dependência, seu Wilson era levado ao convívio da família, e a esposa, dona Célia, às vezes surpreendia algum esboço de sorriso e, assim, tinha a sensação de que ele estava feliz. Ela continuava tendo longas conversas com o marido, ainda que sem resposta. "O olhar dele me bastava", lembraria ela.

Alguns meses depois, dona Célia o encontrou caído ao lado da cadeira de rodas, inconsciente, com um ferimento na cabeça. Seu Wilson parecia ter tido outra convulsão e batido a testa na mesinha ao lado do sofá. A mulher o levou à emergência, onde suturaram o ferimento e fizeram nova tomografia. O aumento da lesão cerebral era impressionante: o tumor estava quase duas vezes maior que no exame anterior. O oncologista foi chamado e, após uma conversa rápida com dona Célia, explicou que precisariam iniciar nova linha de quimioterapia.

O tratamento começou ainda durante a internação. Dona Célia se esforçava para levar seu Wilson ao hospital a cada três semanas, quando ele fazia exames de sangue e recebia o soro com a quimioterapia. Mas não dava sinais de melhora. Continuava inconsciente, acamado o tempo todo, como se não estivesse mais ali.

Algumas semanas após o início desse tratamento, uma tomografia revelou que o tumor tinha crescido ainda mais. O oncologista, preocupado, sugeriu que procurassem um centro oncológico em outra cidade, onde conduziam pesquisa com uma droga experimental promissora. Resignada, dona Célia organizou uma verdadeira expedição para levá-lo. O tratamento experimental foi iniciado, o que implicava a presença de seu Wilson no centro de pesquisas a cada 15 dias. Dona Célia estava exausta, mas achava que, se havia alguma esperança, precisavam tentar.

Nos primeiros exames de reavaliação, o médico deu as notícias de modo animador: o tumor estava respondendo ao tratamento, com melhora de cerca de 10%. Quando dona Célia perguntou quando o marido ia começar a melhorar o nível de consciência, o médico a olhou, surpreso: "Bem, na verdade a chance de seu Wilson voltar a conversar ou mesmo recobrar algum grau de consciência é bastante remota, dona Célia... Estamos lutando muito para mantê-lo entre nós por mais tempo, ele está recebendo um tratamento de ponta, mas acho que provavelmente não vai melhorar mais do que isso".

Ela, o coração cheio de compaixão, olhou para seu Wilson, imaginando que não fazia o menor sentido todo aquele sacrifício se a pessoa que ele era nunca mais estaria presente. Questionou o médico sobre interromper o tratamento experimental e, com tristeza, o ouviu dizer que não podiam desistir; que enquanto havia vida havia esperança; e que, de acordo com o protocolo do estudo, o tratamento só seria considerado falho se os exames de imagem mostrassem piora. Seu Wilson foi mantido em tratamento por mais três meses, quando novos exames de imagem mostraram o crescimento do tumor. Continuou inconsciente e dependente por completo e morreu poucos dias depois dos exames. Dona Célia não tinha chegado a ver de novo o olhar de seu Wilson.

A *futilidade médica* – ou seja, as intervenções terapêuticas que não trazem benefício ao paciente – é um conceito bastante antigo. Hipócrates já aconselhava os aprendizes: "Não ofereçam tratamento a pacientes que estejam completamente dominados pela doença". Nos últimos séculos, a ideia de que os médicos não deveriam recomendar nem instituir tratamentos inúteis tem sido incorporada na maior parte dos códigos de ética médica, inclusive no brasileiro.[38] Hoje, com a maior participação dos pacientes e familiares nas decisões a tomar, as controvérsias sobre a futilidade médica aparecem quando médicos e pacientes (ou familiares) discordam sobre os potenciais benefícios de determinado tratamento. O problema, aqui, é definir o que seja "benefício". Sem clareza e sem consenso nesse ponto, todo o resto fica nebuloso.

Em oncologia, temos um cenário particularmente confuso. O número de opções de tratamento oncológico cresce a cada ano; a concepção dos estudos clínicos que envolvem esses tratamentos pode ser questionável; interesses alheios aos dos pacientes influenciam o modo como os tratamentos são oferecidos; as expectativas dos envolvidos costumam ser permeadas de elevada carga emocional; e, por fim, a "alternativa" oferecida ao tratamento é, muitas vezes, a morte. Não é um processo fácil, mas avançar nessas discussões durante a Estação de Recuperação e Estabilidade é ótima ideia, pois evita que decisões importantes sejam tomadas de forma emergencial, sem a necessária ponderação e com uma sobrecarga emocional ainda mais limitadora.

Segundo a bioeticista americana Colleen Gallagher, do M. D. Anderson Cancer Center (Houston, Texas), a pedra fundamental do processo é o esclarecimento dos objetivos do cuidado.[39,40] Não é difícil imaginar que todos – pacientes, familiares e médicos – desejam os melhores resultados possíveis em termos de tempo e qualidade de vida, com o mínimo de danos possível. No entanto, por vezes se instalam verdadeiros abismos entre as expectativas de cada um, que aí tenderiam exageradamente para uma direção ou para outra. Tratamentos fúteis estão atrelados a grande bagagem moral: fica subentendido que os esforços do médico não estão beneficiando o paciente de modo significativo. Os médicos podem ficar frustrados ou até ressentidos com pacientes e familiares que, com insistência, questionam suas propostas. Além disso, compreender um tratamento como "fútil" demanda a capacidade de discernimento do médico, a qual envolve sua personalidade, a dinâmica interpessoal desenvolvida com o paciente e as convicções éticas do profissional. Aos olhos do médico, a linha de pensamento do paciente ou de seus familiares pode ser absolutamente irracional, por mais lógica que lhes pareça. O desafio da oncologia sem pressa é encontrar o consenso, o caminho do meio.

O primeiro passo é ter tempo para que vocês possam expor dúvidas e definir prioridades. São raríssimos os casos em que decisões sobre tratamento oncológico não possam esperar alguns dias ou até semanas. No cenário em que estamos nesse momento, prestes a iniciar tratamentos após a falha de estratégias teoricamente mais efetivas, a urgência costuma ser ainda menor. Um passo de cada vez permite chegar mais longe do que uma corrida sem rumo. Outra prioridade é estabelecer uma comunicação clara com o médico.

Perguntas de ouro:

- » O tratamento que se está propondo é capaz de prolongar o tempo de vida? Ou não temos essa informação ainda?
- » Supondo que a decisão seja receber o tratamento, qual será o impacto dele na qualidade de vida (efeitos colaterais, necessidade de exames, possíveis complicações graves, necessidade de hospitalizações)?
- » Haverá custos financeiros? Ou o tratamento é oferecido por nossa fonte pagadora (SUS ou convênio médico)?

Essa última pergunta tem especial importância, porque a velocidade com que se lançam tratamentos oncológicos no mercado é muito maior do que a velocidade de incorporação desses tratamentos nos convênios médicos e no SUS. Sendo assim, é possível (e até provável) que, para ter acesso a tais tratamentos, seja necessário travar uma batalha judicial, que por vezes é cansativa e difícil. É importante pesar o desgaste que isso pode causar em vista dos potenciais benefícios do tratamento buscado. Em certas situações, o tempo e o dinheiro despendidos em processos judiciais seriam mais bem empregados em cuidados com benefícios diretos ao paciente. Nesses casos, é útil a ajuda da equipe de cuidados paliativos, que pode funcionar como mediadora das prioridades do oncologista e do paciente e seus familiares.

A vida é feita de escolhas, e isso é bem mais que um clichê. A grande sabedoria está em compreender o que há por trás de nossas escolhas. Ao escolhermos receber tratamentos tóxicos para aumentar as chances de viver mais tempo, não estamos fazendo um contraponto simples entre viver mais e viver menos. Não dispomos da certeza do ganho de tempo que um tratamento pode trazer. No máximo, dispomos de uma expectativa de ganho e de uma expectativa do preço (não apenas financeiro) que teremos de pagar. O que estamos escolhendo tem mais a ver com a forma como acreditamos que a vida deve ser vivida. Algumas pessoas sentem a necessidade premente de receber algum tratamento, mesmo com ínfimas chances de ganho, porque para elas faz sentido continuar lutando contra a doença, mais ou menos como um soldado que está sozinho e quase sem munição contra todo um exército e, mesmo assim, atira-se ferozmente aos inimigos. Já outras têm uma necessidade intensa de buscar momentos de paz e reconciliação (consigo e com outras pessoas) e, ao considerar que o tratamento disponível impediria essas vivências, preferem abrir mão de remédios e procedimentos para aumentar a probabilidade de terminar seus dias como gostariam. Não há escolhas certas nem erradas. Não há escolhas perfeitas. A natureza da própria vida é incerta. Mas aumentaremos as chances de uma vida mais significativa se tivermos clareza do que é importante, e essa clareza precisa vir dos lugares mais profundos em nós.

DIRETIVAS ANTECIPADAS DE VONTADE

Daqui a um tempo, teremos de escolher
entre o que é certo e o que é fácil.
J. K. Rowling

Dona Maria tinha 68 anos, os mais recentes vividos com grande dificuldade. Um câncer de mama, diagnosticado já em fase avançada, comprometia de forma cruel sua qualidade de vida, causando dores, cansaço, falta de ar. Apesar dos tratamentos que recebia, a doença mantinha o curso, conduzindo dona Maria a passos largos para os momentos finais. Ela percebia isso. Sentia a energia se esvair, a falta de apetite, a fadiga.

Mas, embora compreendesse que sua vida estava chegando ao final, o que mais a preocupava (e assustava) era a possibilidade de morrer longe da família, cercada de tubos e aparelhos, sem conseguir se comunicar. Tinha vivenciado essa situação triste anos antes, após extenso derrame cerebral do pai, e as sequelas emocionais ainda eram visíveis na família toda. Dona Maria se lembrava daqueles dias com um pesar profundo, e uma grande desolação tomava conta dela ao se imaginar no centro de algo parecido.

Durante uma consulta com o oncologista, dona Maria mostrava-se particularmente angustiada com aquela questão. O médico teve a delicadeza de perguntar o que estava lhe tirando a paz. Ouviu seus receios e perguntou como ela imaginava que teria sido um final de vida digno para o pai. Dona Maria começou a falar timidamente, devagar, medindo as palavras, e logo se descobriu descrevendo com clareza uma situação bem diferente da que tinha experimentado:

"Gostaria que ele tivesse tido a chance de se despedir. Que eu tivesse conseguido me despedir. Que pudéssemos ter estado com ele nos momentos finais, e não na sala de espera da UTI. Queria que todos aqueles tubos e aparelhos não houvessem estado ali, que pudéssemos ter ficado de mãos dadas com ele pelo tempo que quiséssemos e que eu pudesse ter colocado meias quentes nos pés dele à noite. Meu pai detestava ficar com os pés gelados... Queria ter colocado as músicas de que gostava e ter feito cafuné. Ele adorava cafuné! E gostaria que ele tivesse ido embora tranquilo, dormindo, sem dor, sem sofrimento desnecessário".

O médico sorriu, perguntando em seguida: "É assim que gostaria que fosse com a senhora?" Dona Maria assentiu com a cabeça, visivelmente emocionada. E ficou perplexa ao ouvir dele que poderia decidir como gostaria de ser tratada no final da própria vida. Que ela poderia definir, a qualquer momento, os procedimentos a que não gostaria de ser submetida, as situações que julgava degradantes (e a que não queria ser exposta) e até quem seria a pessoa a tomar decisões por ela, no caso de não ser capaz de fazer isso. Poderia contar com o compromisso, da equipe de saúde e da família, de que buscariam respeitar seus desejos e compreendê-los em sua profundidade, dando-lhe autonomia para terminar a vida da forma que julgasse mais adequada. O médico estava falando de construírem juntos um plano avançado de cuidados.

Plano avançado de cuidados (PAC) é o processo pelo qual os indivíduos mentalmente capazes têm autonomia para compreender, definir e compartilhar seus valores, objetivos e preferências a respeito dos cuidados de saúde que venham a receber. O objetivo essencial do PAC é garantir que as pessoas recebam cuidados que sejam coerentes com esses valores, objetivos e preferências.[41] Em caso de incapacidade, o PAC é elaborado por um familiar próximo ou por alguém que será designado pelo indivíduo para esse papel e especificará o cuidado de acordo com o que conhece das preferências e valores do paciente. Trata-se essencialmente de lapidar a comunicação entre ele, seus familiares e a equipe de saúde em torno das questões relacionadas com o cuidado futuro. O PAC pode ser revogado a qualquer momento pelo próprio indivíduo ou, em caso de incapacidade sua, por familiar ou responsável. A elaboração do PAC pode resultar no registro escrito formal das definições do paciente, mas não é esse o objetivo primordial do processo. O ponto central é a comunicação. Quando o plano de cuidados é estruturado e redigido – constituindo uma manifestação escrita da vontade da pessoa sobre os tratamentos médicos aos quais deseja ou não ser submetida em situação de fim de vida em que esteja impossibilitada de expressar livremente sua vontade –, ele é chamado de *diretivas antecipadas de vontade* (DAVs)[42,43]. As primeiras DAVs foram concebidas em 1967 pelo americano Luis Kutner (advogado de direitos humanos em Chicago e cofundador da Anistia Internacional) em parceria com a Euthanasia Society of America. Uma década depois, a existência e a utilização das DAVs se popularizaram com o caso da americana Karen Ann Quinlan (1954-1985), que, aos 21 anos, foi colocada em aparelhos de respiração artificial após uma parada respiratória de causa inexplicável e evoluiu para um estado vegetativo persistente. Isso significava que Karen estava inconsciente de modo irreversível e dependia de cuidados de outras pessoas para tudo. Para que o respirador fosse removido, seus pais precisaram enfrentar uma batalha judicial que se estendeu por anos a fio, expondo questões éticas complexas sobre o papel da medicina: a tecnologia deve ser utilizada sem limites para estender a vida? Ou uma vida sem dignidade não deveria ser alongada? Qual é o peso das crenças e dos desejos pessoais nesse contexto? Como determinar o que é ou não digno para um indivíduo específico numa situação específica?

Foi em resposta a situações desafiadoras e complexas como a de Karen que as DAVs começaram a ser conhecidas, adotadas e preconizadas, de início para pacientes em situações irreversíveis, mais recentemente para qualquer pessoa que deseje fazer valer o direito de escolher como quer viver ou morrer, não importando seu estado de saúde. As DAVs só podem ser redigidas, alteradas ou revogadas pela própria pessoa. Constituem-se de dois elementos: o testamento vital (TV) e o mandato duradouro (MD)[44]. Testamento vital é o documento em que se registram os valores, objetivos e preferências da pessoa, quase sempre (mas não necessariamente) resultantes do processo do PAC. Já o mandato duradouro é a determinação, pela pessoa, de alguém de sua confiança que possa responder pelas decisões referentes a sua saúde em caso de incapacidade[45]. Esses documentos podem ser redigidos em separado, sendo possível que a pessoa registre seu TV sem determinar alguém de confiança que responda por ela, ou que determine um MD em nome de alguém de confiança sem que se redija um TV. Quando ambos os documentos são redigidos num só texto, o documento final passa a ser denominado diretivas antecipadas de vontade[46].

Embora todos esses processos sejam reconhecidos pelo Conselho Federal de Medicina e previstos no Código de Ética Médica, são ainda raros os pacientes que chegam a formalizá-los. Os motivos são muitos, mas o mais importante continua a ser que tanto os pacientes quanto as equipes de saúde desconhecem a existência desses instrumentos ou a forma adequada de construí-los com o paciente. Muitas vezes, esse desconhecimento é expresso de forma preconceituosa nos hospitais e instituições de saúde, onde pessoas em fase final de vida são continuamente submetidas a procedimentos desproporcionais a suas crenças e valores, sob a alegação de que os médicos estão obrigados a fazer tudo que puderem para salvar a vida alheia. Isso é verdade. Mas também é verdade que todos temos autonomia para decidir que tipo de vida julgamos valer a pena ser salva. Todos temos o direito de escolher como queremos viver, inclusive – e talvez sobretudo – quando a vida está chegando ao fim[47].

Não é difícil imaginar que a construção de um plano avançado de cuidados é um processo a ser percorrido sem pressa, bem ao estilo da *slow medicine*. Os princípios dela podem ser observados durante todo o caminho. *Tempo* para que o indivíduo possa refletir sobre suas prioridades e aprofundar-se em si mesmo. *Individualização* para permitir que as decisões tomadas sejam completamente coerentes com aquela pessoa única. *Autonomia* para que seus valores e crenças mais sagrados sejam tratados com o respeito que merecem.

Qualidade de vida para que os passos finais não coloquem a perder as conquistas de um caminho inteiro. *Compaixão* para compreender o sofrimento antes de tomar atitudes intempestivas a fim de eliminá-lo. E, por fim, o uso parcimonioso da tecnologia, sem o qual estaremos oferecendo medidas que não fazem sentido nenhum[48]. Ainda que a Estação de Recuperação e Estabilidade possa parecer muito desconfortável, ela constitui um excelente momento para construir um PAC, seja no formato que for. Todos os elementos dessa fase favorecem o processo: a consciência da gravidade e provável evolução da doença; a vivência recente de uma situação desestabilizadora; a proximidade das pessoas mais queridas; e a tendência a um mergulho pessoal em questões relacionadas tanto ao que é prioridade na vida quanto ao que é absolutamente intolerável. Além disso, estamos num momento em que há tempo para amadurecer o processo. O maior desafio é começar a conversa.

É possível iniciar uma conversa sobre diretivas antecipadas de vontade das mais diversas maneiras e com as mais diversas pessoas. A iniciativa pode partir da própria pessoa que está vivenciando o câncer avançado, depois que ela se dá conta de que provavelmente precisará conviver com a doença até o final e de que isso talvez lhe cause sofrimento. É improvável que alguém passe pelo diagnóstico de câncer, pelo tratamento, pelo convívio com outros pacientes nas mais diversas fases da doença e jamais pense em questões relacionadas à terminalidade. No fundo do coração, a pessoa talvez sinta que precisa deixar a vida organizada, ou preparar emocionalmente os entes queridos, para que o impacto de sua partida seja menos doloroso. Pode ser que se sinta angustiada com a postura exageradamente otimista de todos ao redor, imaginando como eles pressionarão a equipe médica para que sua vida seja prolongada a qualquer custo. Esse tipo de sentimento, aliado à coragem e ao desejo de assumir as rédeas da própria vida, costuma desencadear os PACs. É um momento crucial – e muito delicado.

Dona Liana estava perto dos 70 anos quando recebeu o diagnóstico de câncer de bexiga, já bem avançado, com várias metástases nos pulmões e nos ossos. Embora de início o tratamento mostrasse bons resultados, fazia algumas semanas que ela vinha sentindo sua energia se esvair aos poucos. Não conseguia subir as escadas de casa sozinha, não tinha vontade de comer, e era raro o dia em que não sentia alguma dor ou desconforto. Então a internaram com infecção pulmonar, o que agravou ainda mais a limitação do fôlego.

Foi nesse contexto que, 15 dias depois, acompanhada da filha, Elisandra, compareceu à consulta com a oncologista. Embora mãe e filha estivessem sempre juntas desde o início do tratamento, algo parecia distanciá-las. Elisandra insistia em animar a mãe, apontando as pequenas melhoras que vinham conseguindo e pedindo à médica que confirmasse a evolução positiva. Dona Liana ouvia calada, às vezes com um breve sorriso.

Depois de algum tempo de conversa, a médica a encaminhou à sala de exames e teve o cuidado de fechar a porta para que Elisandra não as ouvisse. Sem grandes rodeios, perguntou a dona Liana o que estava acontecendo para deixá-la assim angustiada. Ela olhou serenamente para a médica, suspirou e disse: "Doutora, minha filha não quer entender que estou indo embora. Ela não permite que eu toque no assunto. Não me deixa chorar. Se falo sobre funeral, herança ou qualquer outra coisa que lembre morte, diz que estou deprimida e que preciso reagir. Não estou deprimida, doutora. Estou triste, tenho motivos pra isso. Mas, se eu pudesse falar com ela, isso tiraria um grande peso do meu peito".

A médica sugeriu atuar como mediadora na conversa. Primeiro, falou a sós com Elisandra, que reconheceu não suportar a ideia da morte da mãe e suportar menos ainda que a mãe percebesse que estava partindo. Conversaram por longo tempo. A médica lhe contou as palavras de dona Liana na sala de exames. Falou do alívio que conversas sinceras trazem e do sofrimento que evitam. Falou também de como o silêncio pode causar dor e como negar a realidade tem por vezes consequências ainda mais dolorosas que a própria doença.

Quando retornaram ao consultório, agora na presença de dona Liana, mãe e filha se abraçaram e começaram a chorar. Um choro de tristeza que era também de alívio e de redenção. A conversa que se seguiu libertou as duas dos próprios temores. Dona Liana conseguiu explicar que não estava com medo e que, embora fosse difícil pensar na partida, sentia-se feliz pela vida que tivera até então. Falou de como gostaria que fossem as coisas dali para a frente, do que ainda queria fazer antes de o final chegar. Pelas semanas que se seguiram, continuaram conversando sobre isso e mais, de temas bem gerais a detalhes como o desejo de dona Liana (o qual, aliás, ela realizou no mesmo dia) de comer churros de doce de leite no trailer da esquina. O que era truncado e doloroso se tornou fluido e realista. As tristezas passaram a ser acolhidas em vez de negadas, os medos foram trabalhados em vez de escondidos, e o amor deu a tônica de todo o diálogo. Quando dona Liana se foi, quase dois meses depois, as duas estavam em paz.

É comum que, ao ouvir a pessoa doente iniciar conversa com frases do tipo "Quando eu começar a piorar", "Quando estiver chegando a minha hora" ou "Acho que não tenho mais muito tempo", o interlocutor tente desesperadamente desviar o assunto ("Vire essa boca pra lá, você está indo superbem!" ou "Deixe de ser pessimista – a palavra tem poder!"). Sim, é compreensível. E, sim, é digno de compaixão. Mas, infelizmente, impede que o processo das decisões antecipadas se desenvolva, e às vezes só nos damos conta disso quando não há mais como conversar sobre o assunto. Cada mínima oportunidade é uma grande oportunidade – e pode, aliás, ser a única. É preciso ir além da empatia e da compaixão: é preciso ter coragem para prosseguir com uma conversa que realmente valha a pena. Às vezes, manter um silêncio respeitoso e atento é suficiente para que a pessoa sinta-se estimulada a continuar a falar. Outras vezes, é necessário um esforço maior para estimulá-la:

» "É um momento difícil mesmo... No que você tem pensado?"
» "Há alguma situação pela qual você não gostaria de passar de jeito nenhum? Algo que provoque medo ou realmente não faça sentido pra você?"
» "Eu vou estar com você nisso, aconteça o que acontecer. Vamos fazer tudo da forma que você achar melhor. É só me dizer!"

Nem sempre a pessoa sente-se capaz de tocar no assunto, ou por ser doloroso para ela mesma, ou por ter receio de causar sofrimento àqueles que ama. Talvez o primeiro passo caiba a alguém da família ou um amigo próximo. Com muita frequência, porém, são os profissionais da saúde que iniciam (ou deveriam iniciar) tais conversas difíceis. A maior parte de nós não tem treinamento, orientação, disposição nem mesmo tempo para fazer isso, mas isso não deve ser desculpa para negarmos a importância de informações tão íntimas e nos escondermos por trás de protocolos de conduta engessados. Podemos colher informações preciosas durante toda a caminhada ao lado do paciente. Podemos compreender, durante os muitos desafios de um tratamento oncológico, quais são as prioridades dele, seu modo de tomar decisões, que tipo de coisa ele costuma levar em conta ao decidir alguma coisa, que angústias costuma demonstrar. Num cenário em que a relação foi pautada por princípios *slow*, já conhecemos tão bem o paciente que há poucos detalhes ainda por esclarecer. Podemos simplesmente propor um PAC e perguntar se este está de acordo com o que a pessoa imaginava.

Próximo dos 70 anos, dona Elza recebeu o diagnóstico de câncer de mama. Sempre tranquila e decidida, pediu ao mastologista apenas uns poucos dias e marcou a cirurgia logo em seguida. Foi a mesma coisa quando a oncologista lhe falou da necessidade de fazer quimioterapia após a mastectomia, porque seu câncer era de um tipo agressivo, com alto risco de retornar depois de um tempo. Dona Elza pensou um pouco, tirou suas dúvidas e decidiu que não queria passar por um tratamento como aquele. Conversou com o filho, e juntos tomaram a decisão: ela preferia morrer a receber quimioterapia.

Embora esse tipo de decisão do paciente sempre gere certa angústia no oncologista, o clima era de serenidade no caso de dona Elza. Estava muito claro que tanto ela como o filho tinham compreendido em profundidade os riscos e benefícios potenciais do tratamento e tomado a decisão mais compatível com a vida que a paciente estava disposta a viver. Ela preferia viver menos, se fosse o caso, mas viver melhor. E assim foi feito.

Ela comparecia às consultas oncológicas periodicamente, sempre com passinhos curtos e inseguros, consequência da cegueira que a acompanhava fazia vários anos. Não enxergava mais que alguns vultos à frente e precisava de ajuda para se locomover fora dos ambientes que lhe eram familiares. De resto, estava sempre muito bem, convicta de que sua decisão tinha sido acertada. Durante as consultas, a conversa girava em torno de sua vidinha, o tricô (que ela conseguia manter, mesmo sem enxergar quase nada!), o cachorro que lhe tinha sido dado de presente pela vizinha. Até que uma tosse, daquelas bem chatas, começou a perturbá-la. Fizeram-se exames, e lá estavam eles: nódulos metastáticos no pulmão. A doença havia voltado.

Isso entristeceu a todos. Embora soubessem do grande risco, sempre tinham apostado na possibilidade de nunca mais precisarem lidar com a doença, e vê-la infiltrar os pulmões de dona Elza era frustrante e desolador. Esperando na porta do consultório, a oncologista ficou observando aqueles passinhos curtos e as mãos apoiadas nas paredes do corredor. Dona Elza sorria e, já perto da médica, tirou as mãos das paredes para lhe dar um abraço. A oncologista explicou a ela e ao filho os resultados e o fato de estarem agora diante de uma doença incurável, para o que a única opção de controle seria a quimioterapia. Seguiram-se alguns segundos de silêncio, quebrado pela voz tranquila da paciente:

"O que a senhora sugere, doutora?"

A médica respirou fundo e respondeu que seu cérebro de oncologista dizia para insistir na quimioterapia, pois era a única ferramenta disponível para controlar a doença e permitir que dona Elza vivesse um pouco mais. Em seguida, acrescentou que seu coração não concordava com isso e que, pelo que conhecia de dona Elza, parecia incoerente começar quimioterapia agora, numa situação bem mais desfavorável, se antes ela já havia recusado o tratamento. Dona Elza sorriu. Na voz tranquila de sempre, respondeu:

"Nunca vi o seu rosto, e a senhora entende tão bem o jeito que eu funciono... Que bom poder contar com a senhora! Não vou fazer quimioterapia, não. A senhora cuida de mim até o dia que Deus achar que mereço".

Assim – sem medidas heroicas, sem procedimentos que pudessem prolongar artificialmente a vida, sem sofrimento desnecessário, priorizando o jeito que ela vinha escolhendo viver –, seguiram-se os meses, nos quais dona Elza foi ficando mais debilitada. A vida dela seguiu seu curso, e o suporte médico passou a utilizar os recursos da ciência para priorizar o conforto, até que chegou o dia da partida. O que não tinha feito sentido no início também não teria feito no final. Não se tratava de dilemas éticos nem de convicções pessoais. Era apenas coerência.

A boa notícia é que, apesar de parecer assustador ou até um pouco fúnebre, abrir a comunicação a respeito da finitude costuma trazer enorme alívio a todas as partes envolvidas. Temos muito mais medo daquilo que não conhecemos e não controlamos do que da própria morte. É preciso começar.

SUPERVIVENDO

Os saudáveis pensam em como *querem morrer [...].*
Os doentes pensam em quanto *querem viver.*
Os "paliativos", em como viver intensamente *até lá...*
Ana Michelle Soares

Em *My mother, your mother*, Dennis McCullough resume o impacto das construções afetivas nessa fase:

> Nesta altura dos acontecimentos, vocês provavelmente já aceitaram a realidade de que o caminho a percorrer é longo. Tão logo vocês tenham

embarcado no que resta de sua jornada compartilhada, muito dependerá de quanta maturidade há em suas relações familiares, em sua vida emocional e em seu espírito.[49]

No cenário oncológico, essa maturidade das relações talvez tenha impacto ainda mais significativo no formato que a vida adquirirá. Pode ser que, mesmo tratando-se de um câncer muito avançado, tenhamos à frente um tempo prolongado – de meses a anos – no convívio com a doença. Pode ser que limitações relacionadas à doença ou ao tratamento se tornem parte de uma rotina antes inimaginável. E, sobretudo, pode ser que a percepção da finitude tenha transformado radicalmente nossa visão de mundo, nossas prioridades e os relacionamentos de todos os envolvidos. Conviver com uma doença incurável não é sinônimo de vida sombria e lamentável, e a Estação de Reabilitação e Estabilidade é o momento em que isso se torna mais palpável.

Ana Michelle Soares, a AnaMi, que convive desde muito jovem com um câncer de mama metastático, escreveu:

> Dancei com as estatísticas, com os prognósticos, com os julgamentos. Aprendi que dançar bem não requer prática. Requer alma. Só "dança" na vida quem não levanta e vai pra pista. Quem espera convite e condução. Quem quer a garantia de passos firmes e seguros. Mas eu aprendi. E, entre um tropeço e outro, vou coreografando o balé único da minha vida: do sopro inicial ao último suspiro.[50]

AnaMi não está falando de fingir que a doença não existe para, assim, saborear a vida. Ela fala de dar à doença a importância que merece: a de ser parte da vida, não a vida toda. Talvez não seja possível transformar a realidade que diz respeito à doença, mas provavelmente é possível transformar todo o resto que a circunda.

A Estação de Reabilitação e Estabilidade é também de desenvolvimento pessoal, afetivo e espiritual. É um tempo propício para testar (e melhorar) nossa resiliência, nossa gratidão e nossa capacidade de extrair prazer de momentos até então não prazerosos. Aprendemos que fazer planos nunca foi prerrogativa de quem tem tempo pela frente (porque nunca soubemos se tínhamos aquele tempo), e, ao descobrirmos isso, um mundo de possibilidades se abre diante de nós. Podemos iniciar um curso de línguas ou de culinária que não sabemos se vamos um dia utilizar; começar um bordado que talvez nunca seja concluído; programar uma viagem que não sabemos se vamos fazer. Entendemos que a importância de tais coisas está não no resultado delas, mas no processo. É ele que nos faz felizes, plenos e significativos. Aprendemos a conviver melhor com a incerteza e descobrimos quanto nossa vida toda foi, em algum grau, incerta. Acolher essa incerteza desobstrui o coração.

Aqui, outro aprendizado importante é mais simples e direto: dizer *não*. Recusar o que nos parece inútil, desagradável ou incompatível com nossos valores torna-se ponto central na Estação de Reabilitação e Estabilidade. Ainda temos tempo, mas não temos tempo a perder, e isso nos coloca em posição excepcional em relação ao valor que têm nossos dias. Com alguma prática, dizer *não* deixa de ser desconfortável para se tornar libertador. Passamos a pensar mais antes de responder às exigências do mundo. Depois de algum tempo, o processo se torna tão natural que nem é necessário pensar – o instinto assume o controle. Constrangimentos vão desaparecendo, culpas vão se dissipando, e descobrimos que o respeito a nossas prioridades faz que o mundo nos respeite mais.

Essa espécie de empoderamento – ou qualquer outro nome que se dê ao processo de reconhecer nossas demandas e acolhê-las – não é útil apenas para nosso bem-estar pessoal. Dizer *não* será ferramenta indispensável quando precisarmos enfrentar dias mais difíceis e tomar decisões mais complexas do que ir (ou não) a um programa que detestamos, manter (ou não) as raízes do cabelo tingidas e aceitar (ou não) uma tarefa que nos tomará tempo considerável. Saber dizer *não* poderá significar manter (ou não) um tratamento oncológico, repetir (ou não) um exame radiológico e ser encaminhados (ou não) a uma UTI nos nossos últimos dias de vida. Da mesma forma, aprender a dizer *sim* para as coisas que nos são caras é uma aquisição valiosa no arsenal que estamos construindo para lidar com o futuro. Sim, vou sair com meus amigos para tomar uma cerveja no final da tarde. Sim, vou aceitar o convite para o final de semana na praia com minha mãe. Sim, vou aceitar a oferta de minha amiga para ficar com meus filhos enquanto dedico um tempinho a mim mesma. Isso é *superviver*. É encontrar o caminho do meio entre permitir que a doença domine cada átomo da nossa vida e ignorar a doença como se ela não fizesse parte de nós. É hipervalorizar o que importa e reduzir o peso do que é inútil. É tomar as melhores decisões, no melhor momento, com as melhores companhias.

Estação 6 – Declínio

Quanto tempo ainda temos, doutor?
P. L. L. A., filha

Já vimos que um câncer avançado é hoje considerado uma doença crônica, sendo muitas vezes manejado por anos. Durante um tempo assim longo, o controle da enfermidade vai sendo incorporado à rotina do paciente e da família, e sua potencial fatalidade parece cada vez mais improvável. Isso fica ainda mais evidente quando a Estação de Reabilitação e Estabilidade é excepcionalmente bem-sucedida, com boa qualidade de vida por tempo significativo e com a pessoa doente protagonizando o processo. Em tais casos, a impressão geral é de que tudo sempre ficará assim.

Mas, como acontece com todas as doenças crônicas, chega um momento em que o corpo não consegue mais conviver com o câncer. Um desequilíbrio da relação do paciente com a doença se inicia, mesmo que todo o trabalho até ali tenha sido feito com perfeição. A mudança vem, apesar do cuidado irretocável e da persistência com que todos se empenharam para maximizar a funcionalidade, escolher as melhores abordagens de tratamento e evitar possíveis crises. Até agora, nosso maior objetivo era manter a melhor qualidade de vida pelo maior tempo possível. Na Estação do Declínio, priorizar a qualidade de vida se mantém em foco, mas o tempo possível já não pode ser estendido. As limitações não são mais apenas desconfortáveis: passam a ser fonte de sofrimento real.

Dennis McCullough descreve essa fase da seguinte forma:

> A Estação do Declínio é uma lenta descida à deriva num rio em expansão. Em dado momento, o rio conduzirá seu viajante a um mar sem fim, mas o trajeto talvez ainda seja bastante longo. Mês a mês, ano a ano, os pontos de vista das diferentes gerações se modificam e divergem durante essa descida de lento distanciamento. Avolumam-se diferentes perspectivas entre os idosos, a família, a comunidade e o sistema de saúde.[51]

Pode-se vislumbrar no cenário oncológico o mesmo rio em constante expansão, o mesmo distanciamento da realidade e a mesma sensação de que já não há retorno. Contudo, à diferença do envelhecimento de que trata McCullough, aqui estamos falando não de meses a anos, mas de semanas a meses. Porque, no âmbito oncológico, o percurso desde o rio até o mar costuma ser bem mais curto.

RIO ABAIXO

É preciso amar as pessoas/ como se não houvesse amanhã/
Porque se você parar pra pensar/ na verdade não há.
Legião Urbana

Às vezes, a percepção das perdas irreversíveis da Estação do Declínio é dificultada por nosso desejo de que elas não estejam ocorrendo. Outras vezes, é o próprio paciente quem minimiza essas perdas, negando-as ou escondendo-as, o que resulta em novas crises que seriam evitáveis. No entanto, a maioria dos pacientes oncológicos com doença avançada vivencia a Estação do Declínio de forma muito semelhante, e estar atento aos sinais ajuda a evitar sofrimento desnecessário.

A evolução do câncer costuma ter três impactos principais no funcionamento do organismo. O primeiro deles decorre da piora progressiva de sintomas relacionados à doença (ou do surgimento de novos sintomas), o que costuma ser também o primeiro indício de que se está inaugurando a Estação do Declínio. Dor, falta de ar, constipação intestinal ou diarreia, náuseas frequentes e tantos outros sintomas podem começar a exigir intervenções médicas com maior frequência. Aqui há um ponto importante a lembrar: a maior parte desses sofrimentos físicos pode ser aliviada com as medidas adequadas, quer farmacológicas, quer não. A má notícia é que os médicos não costumam ter boa formação técnica para alívio de sintomas (lembremos que a formação médica se direciona a tratar as doenças, não a amenizar o sofrimento).

Dito isso, é preciso ressaltar que frases como "Infelizmente é normal ter dor nessa fase" ou "Não temos mais nada a fazer pelo paciente" são sinais claros de que a equipe responsável não tem a capacitação necessária para o manejo adequado do sofrimento. Se for esse o caso, converse com o médico responsável sobre a possibilidade de avaliação por uma equipe de cuidados paliativos – ou busque você mesmo uma. Na Estação do Declínio, a tendência é que os sintomas piorem e surjam novos, deixando o quadro todo mais complexo e o sofrimento mais difícil de administrar. Equipes de paliativistas são treinadas para lidar com tais situações. Há sofrimentos que não conseguimos evitar, mas o alívio é sempre possível.

O segundo impacto vem das perdas funcionais, por vezes associadas ao que chamamos de *síndrome de anorexia-caquexia* (SAC). Trata-se de um processo metabólico complexo que envolve a perda involuntária de peso, associada a uma conjunção variável de outros fatores: diminuição da força muscular; redução da massa muscular; fadiga; anorexia; e/ou alterações bioquímicas (como anemia e baixos níveis de proteínas plasmáticas)[52]. É em decorrência da SAC que percebemos a perda progressiva de peso, a redução do apetite, a dificuldade crescente para realizar atividades corriqueiras (como tomar banho sem ajuda ou caminhar sem apoio), a ocorrência de quedas e a maior lentidão para concluir determinadas atividades. Embora todos esses sejam sinais facilmente perceptíveis a um olhar treinado, é comum que familiares e amigos não reparem nas mudanças, seja por motivos emocionais, seja pelo longo tempo que às vezes elas levam até se instalar, fazendo que o olhar deles se habitue às pequenas modificações diárias sem notá-las de fato. Pelas mesmas razões, a própria pessoa doente tarda a perceber as mudanças.

O terceiro grande impacto da progressão do câncer relaciona-se a alterações cognitivas. Pode ocorrer um processo gradual de lentidão de raciocínio, perda de interesse e diminuição da compreensão do mundo. São sinais cuja detecção talvez seja ainda mais difícil, porque mostram-se sutis e constrangedores. Pequenos esquecimentos, perguntas descabidas ou repetitivas, incapacidade para tomar decisões simples e períodos maiores de sono estão entre os indícios de declínio cognitivo. No entanto, o cenário pode ser ainda mais sutil. É comum que aos poucos a pessoa transfira seus interesses para questões mais próximas e mais imediatas. A política mundial, a violência urbana ou a devastação da Amazônia dão lugar às flores do jardim, a um programa de TV ou à rotina dos netos. Um longo período é dedicado a consertar o liquidificador, ao passo que as contas a pagar se acumulam na mesa da sala por falta de tempo para quitá-las. Tais mudanças de percepção e interesse são as responsáveis pelo progressivo distanciamento a que Dennis McCullough se refere: o mundo da pessoa doente é cada vez mais diverso da realidade ao redor, e essa realidade não lhe interessa mais.

Na Estação do Declínio, há dois prismas importantes pelos quais os pacientes oncológicos precisam ser observados: a perda de identidade e a perda da dignidade. O convívio contínuo e prolongado com o câncer frequentemente subtrai a energia para expressar e defender a própria individualidade. A pessoa talvez tenha dificuldade para se dar conta de que o que vai tornando sua vida emocionalmente mais difícil é a forma como tem sido tratada por todos (com termos condescendentes, uso de diminutivos e tons de voz infantilizados ou exageradamente doces). Isso a reduz a "mais uma pessoa com câncer, pobrezinha", o que pode ser degradante e emocionalmente exaustivo.

A perda de dignidade, por sua vez, costuma ser expressa com maior facilidade. É comum que os pacientes oncológicos, percebendo a crescente dificuldade para realizar suas atividades diárias e a necessidade de ajuda diante de tarefas antes corriqueiras, procurem esconder essas limitações para defender sua dignidade ou, então, recusem ajuda quando ela é obviamente necessária. A perda de identidade e a de dignidade costumam ser identificadas (e evitadas) por olhos atentos e ouvidos empáticos, sejam da família, sejam da equipe de saúde, traduzindo-se em atitudes mais adequadas e compassivas.

Costumo pensar no processo de declínio como uma espécie de hibernação tanto do cérebro quanto do corpo, uma forma de economizar a pouca energia disponível para que se mantenham atividades absolutamente essenciais. Basta olhar em volta: a natureza é assim. Ela busca o equilíbrio, sempre, e faz isso por meio da compensação. Adaptar-se às mudanças que a doença traz e acolhê-las como parte do processo não significa abrir mão da vida, nem muito menos desejar a morte. Estamos falando do declínio irreversível que é intrínseco a tudo que é vivo e que faz parte da natureza (no que nós mesmos nos incluímos).

Aceitar o declínio é ato de reverência pela vida que está caminhando para seus capítulos finais. Rubem Alves escreveu: "A morte e a vida não são contrárias. São irmãs. A 'reverência pela vida' exige que sejamos sábios para permitir que a morte chegue quando a vida deseja ir". A Estação do Declínio exigirá toda a sabedoria que há em nós.

VIRIDITAS

A intuição é o sussurro da alma.
Krishnamurti

No livro *God's Hotel* [Albergue de Deus], a médica americana Victoria Sweet descreve a medicina medieval, fazendo um paralelo com a moderna e pontuando as perdas que tivemos pelo caminho.[53] Num trecho particularmente intrigante, descreve como Hildegarda de Bingen, religiosa, médica, poeta e compositora que viveu na Alemanha do século XII, avaliava o que denominou a *viriditas* de seus pacientes. A palavra é latina e significa algo como *vitalidade*, a energia ou força vital. Nas palavras de Victoria,

> assim como em meu caso, a primeira e mais importante ferramenta de Hildegarda era observar o paciente. Ficava fazendo isso enquanto ele entrava, sentava e contava sua história. Ela analisava quão rico ou pobre parecia, se estava sujo ou limpo. Notava a coloração, o estado de ânimo e o brilho dos olhos e estimava o "verdor" de sua *viriditas*.

Em outras palavras, a médica medieval usava suas percepções pessoais para determinar o grau de vitalidade que os pacientes ainda guardavam dentro de si. Hildegarda não dispunha das ferramentas tecnológicas que temos hoje. Nem mesmo imaginava o que viria a ser um termômetro ou estetoscópio. Utilizava os próprios sentidos – visão, olfato, audição, tato e até paladar – para traduzir a linguagem do corpo e compreender o que acontecia na alma. Mais do que isso, costumava ouvir atentamente sua intuição. Tendo vivenciado anos de observação de pacientes com as mais diversas doenças e tantas evoluções diferentes, Hildegarda conseguia compreender quando o fim da vida chegaria em poucos minutos.

Hoje temos à disposição artefatos tecnológicos que nos permitem avaliar, mensurar e descrever inúmeras situações que ocorrem no corpo dos pacientes. Determinamos o número de vezes que o coração bate por minuto, quantas vezes os pulmões se expandem, quanto oxigênio esses pulmões estão absorvendo, como está se comportando a pressão arterial e qual é a temperatura corpórea. Temos acesso a dados como esses em segundos. Da mesma forma, somos capazes de avaliar com impressionante precisão o funcionamento de cada órgão e sistema do organismo, detectando com rapidez se algo não vai bem. Há exames, aparelhos e procedimentos para tudo. Mas toda essa tecnologia que nos é tão útil gera dois efeitos colaterais quando se trata do final da vida. O primeiro é ter-nos distanciado do processo de declínio dos pacientes que estão vivendo a fase derradeira de suas doenças. Tendo equipamento para tudo, deixamos de usar os olhos, ouvidos e mãos para avaliá-los, e isso nos privou da experiência de Hildegarda de reconhecer quando uma situação não tem mais retorno e quando o declínio é irrecuperável. O segundo efeito colateral é a perda de nossa capacidade intuitiva, de nossa percepção pessoal e única sobre o que estamos presenciando. Aprendemos a valorizar o que é mensurável e concreto, o que se pode traduzir em dados e números, e desvalorizamos o impalpável e o inexplicável. *Viriditas* nem sequer faz parte de nosso vocabulário.

Lendo o livro de Victoria Sweet, a falta que aquelas duas capacidades nos fazem como médicos se torna óbvia: melhoramos a capacidade diagnóstica (e as soluções para cada diagnóstico), mas a desconectamos das necessidades individuais dos pacientes. Na fase de declínio do câncer, essa é uma deficiência profissional grave. Para protegermos os pacientes de medidas fúteis ou até deletérias, é imperioso reconhecermos o "ponto sem retorno". Ninguém nos ensina sobre ele. Nem na faculdade, nem na residência médica, nem na pós-graduação, nem em outro momento. O fato é que existe um ponto de decadência – de deterioração – após o qual o corpo já não consegue se recuperar. Nas palavras de Victoria Sweet, agora em seu outro livro, *Slow medicine – The way to healing* [Medicina sem pressa – O caminho da cura]:

> É algo como uma espiral descendente, quando as células do corpo não conseguem mais manter a estrutura, a complexidade, a unidade. É claro, você pode sofrer um acidente grave do qual não consiga se recuperar – todos sabemos disso. Mas que alguns processos – uma infecção, um câncer, o desespero, a solidão, a raiva – iriam tão longe a ponto de o corpo não conseguir mais ser resgatado, disso eu não tinha ideia.[54]

Não são apenas os profissionais de saúde que não têm ideia de como reconhecer aquele ponto: os humanos da atualidade se distanciaram de tal capacidade. Era justamente esse "ponto sem retorno" que Hildegarda, no século XII, procurava reconhecer quando avaliava a *viriditas* de seus pacientes. Quando a energia vital se foi, não há mais como voltar.

AS PLANTAS DO SEU JARDIM

Cuidar é mais que um ato. É uma atitude.
Leonardo Boff

A Estação do Declínio traz à tona mais do que questões de saúde. Vivenciar o processo de deterioração do próprio corpo ou presenciar esse processo em alguém que amamos é angustiante e doloroso. Dilemas pessoais sobre a terminalidade, o sentido da vida e o que realmente importa começam a surgir por todos os cantos, a qualquer momento. Nosso ímpeto resolutivo entra em choque com o que estamos presenciando: uma situação que se deve não resolver, mas administrar e cuidar. Começamos a nos sentir numa espécie de pêndulo, ora canalizando todas as energias na busca de algum tratamento ou intervenção que ainda possa interromper o declínio, ora acalentando a ideia de que a lei da natureza é impossível de desrespeitar.

Victoria Sweet fala justamente da raiz de nossas angústias ao descrever a medicina como atividade mais próxima da jardinagem do que imaginamos, e a analogia é ainda mais valiosa no cenário em que estamos nesse momento.[55] Bons jardineiros observam cuidadosamente cada planta, o lugar onde está acomodada, o clima do dia, o estado do solo. Tocam as folhas, sentem a umidade da terra, observam a presença de insetos, dedicam algum tempo a apenas olhar o jardim. Em vez de definirem uma estratégia de longo prazo, determinando com antecedência a quantidade de sol ou água que será necessária, observam cada planta em seu contexto, identificando o que lhes falta naquele momento e adequando o cuidado a isso. Em vez de se preocuparem em eliminar logo todos os problemas, dedicam-se a cultivar as plantas, com paciência e zelo, respeitando sua natureza e seu tempo. Eles sabem, até, quando é hora de deixá-las partir. Aqui, na Estação do Declínio, aptidões comportamentais semelhantes às dos bons jardineiros fazem uma diferença brutal. Aprendemos a observar sem a pressa de agir. Aprendemos a ler os sinais do corpo e da alma, para nos guiarmos até as necessidades únicas daquela pessoa, naquele momento. Aprendemos a prever o sofrimento que está por vir e nos antecipamos a ele, minimizando seu impacto. Essa postura atenta e compassiva transforma o cuidado em atitude de contínua reverência, respeito e acolhimento às necessidades. Em última instância, é a postura sem pressa o que nos dará as ferramentas de que precisamos, pois ainda há muito o que fazer.

Uma dessas tarefas cruciais é revisar todas as estratégias em andamento para evitar excessos e inadequações. Os remédios em uso são um excelente exemplo. É comum que os pacientes cheguem à Estação do Declínio tomando – pelos mais diversos motivos – uma quantidade considerável de medicamentos. No decorrer da doença, a lista costuma ir aumentando, sem que nada seja suspenso. De modo paradoxal, nosso paciente tem cada vez mais dificuldade para se alimentar e ingerir remédios, o que transforma o cumprimento da prescrição médica em uma empreitada torturante. É hora de confrontar os benefícios de cada medicamento com a realidade que temos à frente:

» Faz mesmo sentido manter a medicação para controlar o colesterol, cujo objetivo seria reduzir os riscos de um infarto daqui a alguns anos, se nossa expectativa de tempo é de alguns meses?
» É essencial continuar repondo a vitamina D ou o hormônio da tireoide, se provavelmente não teremos tempo hábil para que a osteoporose se agrave ou a função tireoidiana entre em colapso?
» Os anti-hipertensivos ainda são absolutamente necessários? Ou a pressão arterial um pouco mais alta é aceitável nesse contexto?
» Ainda precisamos manter a glicemia rigorosamente dentro da faixa preconizada, para evitar complicações futuras do diabetes? Ou agora podemos ser mais tolerantes e reduzir a quantidade tanto de medicamentos administrados como de dosagens de glicose no decorrer do dia?
» Há alguma medicação que esteja causando efeitos colaterais e possa ser suspensa ou substituída?

E não se trata apenas de reavaliar a indicação de cada medicação: é possível ajustar a forma de administrá-las. Facilitar a posologia costuma fazer uma diferença enorme nesse momento:

» Existe alguma formulação da medicação que permita administrá-la a intervalos mais longos?
» É possível optar por uma formulação líquida (gotas, por exemplo), mais fácil de deglutir?
» Podemos agrupar os medicamentos em menos horários, deixando que o paciente fique sem eles por mais horas (e possa utilizar esses intervalos para, por exemplo, se alimentar melhor)?

Outro ponto a rever são as diretivas antecipadas de vontade. Prioridades mudam, desejos mudam, decisões mudam. A Estação do Declínio pode ser a última chance para que a pessoa expresse tais mudanças, e não se deve desvalorizar isso. Tanto a equipe de saúde quanto a família e os amigos devem reler (ou relembrar) as DAVs e checar se ainda são válidas ou se há algo a acrescentar, deletar ou modificar. Assim como o processo de construção das DAVs não precisa se realizar numa reunião formal com hora marcada e itens rígidos a cumprir, assim também sua revisão pode ser feita sem atropelos, ao longo de dias ou semanas. É possível inserir, retirar ou alterar pontos numa conversa tranquila durante o almoço, ou enquanto vocês assistem a um filme juntos. O mais importante não é fazer uma lista de checagem de cada decisão tomada, e sim verificar se os valores e prioridades continuam os mesmos. Perguntas como "Você está tranquilo com a forma como lidamos com tudo até aqui?", "Tem alguma coisa que esteja preocupando você com relação ao futuro?" ou "A gente conversou tanto sobre como você gostaria que as coisas acontecessem... Tem mais alguma coisa que gostaria que eu soubesse?" podem ajudar a revisar aqueles valores e prioridades, deixando tudo mais claro e menos angustiante.

Também precisaremos de nossas habilidades de jardinagem para prever o que for previsível e prevenir o que for possível. Os jardineiros sabem que, quando se iniciar a estação das chuvas, o solo ficará encharcado e as raízes das plantas apodrecem. Eles então reforçam a drenagem do jardim e ajustam a composição do solo, evitando que aquilo aconteça. Caso altas temperaturas se anunciem para o decorrer do dia, borrifam água nas flores envasadas ou já colhidas e as colocam mais longe das janelas, para que não recebam luz direta do sol. O conhecimento, a experiência e a intuição deles guiam esse cuidado. Devemos seguir o mesmo caminho na Estação do Declínio. Conhecemos bem a evolução do câncer para prever que o paciente pode ter piora da dor; que possivelmente precisará de cuidados o tempo todo; que talvez seja útil dispor de suporte de oxigênio em seu domicílio; ou que é provável que vivencie confusão mental ou agitação. O impacto dessas situações será minimizado se explicarmos ao paciente e à família o que estamos prevendo e orientarmos possíveis ajustes – ter determinados medicamentos em casa, por exemplo. A maior parte dos analgésicos necessários precisa de receita especial que não se obtém com rapidez, e tê-los em casa evita situações de grande agonia. O mesmo acontece com antipsicóticos usados no controle da confusão mental e com várias outras medicações. A própria estrutura da casa poderá ser modificada, alargando-se portas de acesso (sobretudo ao banheiro) para que uma cadeira de rodas possa passar sem dificuldade; ou organizando o local onde o paciente ficará a maior parte do tempo, de forma que não seja necessário subir nem descer escadas, entre outras adaptações úteis.

A organização dos cuidados humanos também pode ser estruturada nessa fase. A maioria dos pacientes oncológicos, quando questionados, diz que gostaria de terminar os dias em casa, com a família. No entanto, é incomum que se preparem para isso de maneira adequada. À diferença dos processos de envelhecimento ou de algumas outras doenças crônicas, o câncer às vezes provoca desconfortos e sofrimentos tão complexos que nem sempre há como manejá-los sem o apoio contínuo de uma equipe de saúde. Com frequência, famílias angustiadas precisam enfrentar o dilema de manter o paciente em casa, respeitando sua vontade, ou levá-lo para o hospital a fim de aliviar seu sofrimento de modo apropriado. Se o plano é que os momentos finais aconteçam no domicílio, é na Estação do Declínio que tudo precisa ser organizado.

Mais uma vez, conversas claras e objetivas com médicos, enfermeiros e outros profissionais permitirão que paciente e família antevejam os desfechos mais prováveis, entendam o que se pode fazer para cada situação prevista e organizem os cuidados para tanto. Traga a equipe de saúde para perto da realidade de vocês. Quais são as complicações e os sintomas esperados? É possível manejar esses sintomas em casa? O paciente conseguirá ser adequadamente medicado com comprimidos? Ou será necessário acesso pelas veias ou por outras vias? Vocês mesmos conseguirão cuidar dele? Ou precisarão de ajuda profissional? Que profissionais serão necessários? Dá para contar com a ajuda de vizinhos ou membros da comunidade local?

A lista de perguntas possíveis é infinita e depende de cada caso, mas é importante esclarecê-las para aumentar as chances de o plano dar certo. Talvez, ao vislumbrarem as possibilidades que se avizinham, a ideia de uma despedida final no domicílio deixe de ser opção e tudo seja organizado para a transferência para o hospital (ou para um *hospice**). São decisões muito pessoais e importantes, que evitam angústias desnecessárias.

* A palavra inglesa *hospice* vem do latim *hospitium*, que significa "hospitalidade". Na Idade Média cristã, os *hospitia* eram lugares onde se acolhiam peregrinos durante suas jornadas. Hoje, os *hospices* são instituições que se destinam ao cuidado integral de pacientes em situação crítica de saúde, quase sempre em fase final de vida, e visam promover conforto e dignidade.

Para Dennis McCullough, a Estação do Declínio não se refere apenas ao paciente. É também a história de um declínio da família – em termos de energia, recursos, liberdade e planejamento da vida.[56] Há um grau de sacrifício, um preço a pagar pela experiência tão íntima, tão complexa e tão valiosa de acompanhar o paciente oncológico em sua jornada. Algumas culturas valorizam imensamente esse tipo de devoção, e as famílias se organizam quase de forma natural para tanto. Outras experimentam enormes dificuldades para encontrar o equilíbrio entre os esforços necessários ao cuidado e as próprias necessidades pessoais, familiares, profissionais e financeiras. Qualquer que seja o contexto, a prioridade é manter uma comunicação fluida e clara entre as partes envolvidas, de maneira que todos possam se preparar (inclusive no âmbito emocional) para o que está por vir. O declínio exige resiliência, sendo permeado de incoerências e incertezas. Enquanto tudo parece desabar lentamente ao redor de quem adoece, a vida dos outros pulsa lá fora, com oportunidades, ofertas, convites, planos. Enquanto a distância entre tais realidades se consolida, os laços que unem a todos ficam mais visíveis. É preciso um esforço para enxergá-los, porque esses laços estão além dos fatos.

Os jardineiros não podem conversar com as plantas para lhes explicar que vai chover forte no dia seguinte. Os profissionais de saúde, porém, podem falar com todos os envolvidos. Mais: podemos transformar a família numa extensão do nosso cuidado, assim como os familiares nos transformam em sua referência para o cuidado que exercem. Praticar a oncologia no formato *slow* é justamente isto: ter olhar cuidadoso para as necessidades singulares de cada um e agir para antevê-las e atender a elas, com estratégias sensatas e proporcionais. Não precisamos de martelos nem de serrotes para cuidar de flores[57].

FALANDO EM MILAGRES

É bom ter esperança, mas é ruim depender dela.
provérbio judaico

Existe um momento do declínio em que algo se transforma dentro das pessoas. É como uma "virada de chave", um estalo, uma iluminação. Não é igual para todo mundo, nem acontece ao mesmo tempo para todos os envolvidos na história. Muitas vezes se identifica por frases simples, mais ou menos assim: "Acredito em milagres, doutora, e tenho fé que Deus vai colocar Suas mãos sobre nós".

Os médicos costumam ficar pouco à vontade diante dessas palavras. Milagres e realizações divinas não são parte do nosso arsenal terapêutico, mesmo quando já presenciamos alguns. Costumamos achar que quem fala em milagres ou está nutrindo ilusões, ou não compreendeu a gravidade da situação. Observamos, entre desconfiados e angustiados, pessoas orarem com fervor, trazendo religiosos para reforçar as preces, pedindo a graça divina da cura. Nosso olhar para elas costuma ser de piedade, consternação ou preocupação. Certa sensação de ingratidão nos invade, como se, depois de todos os nossos esforços, aquelas pessoas achem que bons resultados só vêm mesmo é do andar de cima. Às vezes, absortas que estão em sua fé, parecem não mais buscar informações sobre a progressão da doença, nem sobre os próximos passos do cuidado. As perguntas e os pedidos deixam de ser direcionados à equipe de saúde e passam a ser formulados a santos, entidades, deuses; ou à energia cósmica universal. Certa serenidade inabalável toma conta de seus olhos, e as lágrimas que às vezes escorrem parecem resignadas e doces. E nós, envoltos por nossos jalecos, pensamos: "Quanta frustração eles vão enfrentar quando a morte chegar!..."

Mas essa é uma interpretação superficial do papel que os milagres passam a ter na vida. Uma vez, ouvi que, quando alguém começa a se referir a milagres, significa que as coisas estão nos devidos lugares. A princípio a ideia me surpreendeu, mas tem lógica contundente. As pessoas não se apegam à possibilidade de milagres por estar iludidas. Ao contrário: o fazem porque têm consciência clara de que não existe solução pelas mãos humanas. Presenciar (ou vivenciar) todo o processo de deterioração da Estação do Declínio lhes dá essa consciência, e em resposta buscam o acolhimento que permeia a espiritualidade, seja ela qual for. A maioria não espera que a doença desapareça do dia para a noite, nem que alguma pílula miraculosa reverta todo o estrago que o câncer vem fazendo. Sabem que milagres não são corriqueiros – pelo contrário, são tão raros que por vezes santificam pessoas.

A questão é que "milagres" nem sempre representam a busca de uma solução improvável: eles podem ser o alívio, a resiliência, a autorreconciliação, a paz interior. É nesse momento, quando ouvimos que milagre é o caminho que se espera, que nós, médicos, deveríamos nos sentir mais aliviados. Significa que o trabalho tem sido bem-feito a ponto de as pessoas compreenderem nossos limites e, ainda assim, nos confiarem suas crenças. Deveríamos entender aquelas palavras de fé como convite a participarmos de uma vivência sagrada para elas e nos colocar a seu lado até o final da história, milagroso ou não. Milagres são muito maiores do que sonha nossa limitada medicina.

Era um final de tarde silencioso. Daqueles em que escutamos o farfalhar das folhas das árvores na janela, enquanto o céu anoitece cheio de preguiça. Nesses dias, mesmo dentro dos corredores do hospital, o mundo parece girar mais devagar. Até os ruídos rotineiros, como carrinhos de medicação atravessando o corredor, o falatório das enfermeiras passando o plantão ou os alarmes de algum aparelho, parecem estar com o volume respeitosamente reduzido. Como se o mundo todo estivesse cochichando para não acordar quem está dormindo.

Apesar da calma aparente que pairava no ar, meu coração não estava tranquilo. Aos 38 anos, Bárbara estava se despedindo. O câncer de mama, diagnosticado pouco mais de um ano antes, tinha comprometido seus pulmões e seu cérebro, limitando sua vida de forma cruel. Bárbara tomava uma infinidade de medicações para controlar as dores de cabeça, as convulsões, o desconforto no estômago, o inchaço. Havia meses não conseguia andar sozinha, e nas últimas semanas mal conseguira engolir os comprimidos adequadamente. Precisava da ajuda do marido, da mãe e das duas filhas para tudo, da alimentação ao banho, dos remédios à mudança de posição. Havia três dias a falta de ar vinha piorando muito, com febre e secreção pulmonar, e, apesar dos esforços da família nos cuidados, Bárbara precisou ser internada. Foram iniciados antibióticos e todas as medidas possíveis para aliviar os sintomas, mas seu desconforto era tamanho que ela precisou ser sedada. Era essa Bárbara, dormindo sob efeito dos sedativos e prestes a se despedir de todos, que eu estava indo visitar, com o coração cheio de angústia e compaixão.

A porta do quarto estava encostada, deixando apenas uma fresta, suficiente para que eu visse Bárbara deitada, imóvel, em seu sono profundo, e o marido, Valter, sentado ao seu lado. Uma das mãos dele descansava sobre as mãos dela. A outra segurava uma Bíblia, com as páginas envelhecidas e o título dourado da capa já descascado. Seus olhos estavam fechados, seus lábios murmuravam uma prece. Sua concentração era tamanha que ele não percebeu minha presença. Continuava rezando, acariciando as mãos da esposa de quando em vez, pendendo a cabeça para a frente nos momentos de maior comoção.

Fiquei ali observando seu ato de fé por um bom tempo. Não queria entrar no quarto e interromper um momento tão íntimo, mas também não queria sair dali. Era como se a prece dele envolvesse todo mundo ao seu redor. Como se as palavras que saíam da sua boca anulassem a dor daquela situação. Alguns minutos depois, ele terminou a prece, com um agradecimento a Deus e um beijo nas mãos de Bárbara. Sorriu quando me viu na porta, fazendo sinal para que eu entrasse.

Perguntei se eu estava atrapalhando, ele disse que não, que estava tudo bem. Examinei a Bárbara, tranquila, adormecida. Sentei-me então com Valter para saber como ele estava, perguntei pelo que estava rezando. Ele sorriu. "Por ela, doutora. Eu só rezo por ela." Perguntei se ele estava pedindo alguma coisa em especial. "Eu sempre peço pela cura, doutora, mas sei que Deus é quem sabe. Se Ele estiver precisando mais dela lá do que eu preciso dela aqui, não posso mudar isso." Um silêncio triste tomou conta de nós dois. Olhamos para ela, inconsciente, como se esperássemos que ela própria nos desse essas respostas. Peguei nas mãos dele, e ele novamente sorriu, devagar, meio trêmulo: "Eu preciso muito dela comigo, doutora, a senhora nem imagina quanto. Minhas filhas também. Mas tenho fé que Deus nunca está errado. Vai dar tudo certo". Concordei com ele. Tudo sempre dá certo, mesmo quando parece que está tudo errado.

Fiquei com ele algum tempo, com longos silêncios e algumas lágrimas. Não havia angústia ali dentro. Não havia medo, não havia escuridão. Eu observava a grande tristeza de um homem se vendo obrigado a se despedir da esposa, que lutava para aceitar a própria impotência, confiando seu destino (e o dela) a algo tão maior que não podia ser compreendido, nem sequer questionado. A simplicidade dele, as palavras simples, a atitude humilde diante da imensidão da vida... e da morte.

Quando saí do quarto, a noite já tinha chegado. Continuava lenta, preguiçosa, silenciosa. Meus pensamentos vagavam pela imagem de Valter rezando, sua crença em pertencer a um Reino cuja compreensão lhe fugia, sua resignação, seu amor pela esposa. São poucas as belezas humanas que me comovem tanto quanto a fé. Eu, médica e, portanto, uma mulher da ciência, fui treinada para duvidar, para comprovar teorias e estabelecer o que é certo e o que é errado. Fui capacitada para analisar evidências e buscar resultados corretos. E aí deparo, em tantos momentos da minha vida, com a tal da fé. A fé não tem evidências científicas. Não existe, por trás dela, a enormidade de estudos científicos, teorias, análises e discussões que me são tão familiares. A fé simplesmente brota no coração das pessoas e se instala por ali mesmo, envolvendo a vida delas. Faz que acreditemos no incompreensível e nos dá a sensação de pertencimento que nos acolhe e conforta. A fé alivia o que a medicina é incapaz de aliviar. Fui andando lentamente pelo corredor em direção à saída. Podia ouvir meus próprios passos, devagar, durante todo o trajeto. A enfermaria, sempre tão ruidosa, hoje estava serena. O mundo estava deixando Bárbara dormir.[58]

O QUE AINDA HÁ PARA DIZER

Quem sabe que o tempo está fugindo descobre, subitamente,
a beleza única do momento que nunca mais será...
Rubem Alves

A Estação do Declínio é também uma fase de despedida, mesmo que a compreensão disso seja subliminar. Embora ainda tenhamos algum tempo pela frente, não sabemos como será a qualidade desse tempo, nem se conversas importantes e lúcidas serão possíveis. Às vezes, a deterioração física e mental pode acontecer num átimo. Perplexos, percebemos que não dissemos o que gostaríamos de ter dito nem ouvimos o que gostaríamos de ter ouvido. Se o tempo até aqui foi bem aproveitado, já não há nessa altura grandes segredos a respeito da doença e de sua provável evolução. Tanto o doente quanto a família, os amigos e a equipe de saúde sabem, no íntimo, que o tempo vai se esgotando. A areia da ampulheta está no fim. É hora de dizer o que ainda há para dizer.

Bronnie Ware, enfermeira australiana com longa experiência no cuidado com pacientes em fase final de vida, descreveu os cinco principais arrependimentos que as pessoas expressam antes de morrer. Um deles é, justamente, não terem tido coragem de expressar os sentimentos.[59] Na Estação do Declínio, há muitas coisas que não conseguimos mais resolver. É impossível apagar escolhas, mudar o passado, trabalhar menos, viajar mais. Não podemos reescrever toda a nossa história. Mas ainda podemos expressar o que sentimos e aumentar a paz no coração. "Eu te amo." "Obrigado." "Me perdoe." "Sinto muito." "Eu te perdoo."

A oportunidade de dizer essas coisas, ainda que num contexto difícil, é valiosa. São inúmeros os relatos de pacientes e familiares que descrevem o câncer avançado como uma bênção, porque a doença lhes deu tempo de resolver pendências, aparar arestas e (re)encontrar sentido na vida. Isso não é utopia, não é glamourização da doença, não é negação do sofrimento atrelado ao câncer. São experiências reais. Vêm da consciência da terminalidade e da lucidez que essa consciência nos traz. É por esse motivo que falar alivia e ouvir conforta. Podem ser as palavras mais importantes da nossa existência: resumem um legado que dá sentido a todo o resto.

Os capelães são *experts* nesse contexto. À diferença do que muitos imaginam, eles não são religiosos nem teólogos. Sua atividade está relacionada à busca do sentido da vida, independentemente do envolvimento de religiões. Trata-se de explorar a espiritualidade, os valores mais preciosos, as crenças mais determinantes de nosso modo único de ser. É o sagrado dentro de cada um de nós.

A espiritualidade não está necessariamente ligada à religião, embora com frequência ambas caminhem de mãos dadas. A espiritualidade engloba a religião, não se restringindo a ela. Trata do que há de mais importante e sagrado em cada um de nós: o significado que atribuímos à nossa existência. É a crença de que existe um significado nobre que nos mobiliza, nos impele a agir da melhor forma possível e insere em nossos dias o desejo de nos tornarmos pessoas melhores.

A espiritualidade nos permite lidar com a adversidade (a nossa e a do outro) de modo mais resiliente e sensato, porque parte da compreensão de que há um motivo maior (seja ele qual for) para isso tudo. As religiões nos descrevem esses motivos de forma bem clara e objetiva: desígnios dos deuses, imortalidade da alma, carmas e tantas outras crenças que determinam quais passos seguirmos para nos tornarmos seres mais evoluídos e – quem sabe? – ganharmos o Reino dos Céus.

As religiões nos transformam de fora para dentro, tornando a nossa vidas mais digna e mais significativa. A espiritualidade, contudo, vai além: ela nos transforma de dentro para fora, num processo heterogêneo e de todo individual. É justamente essa característica o que torna a espiritualidade tão encantadora – mesmo sem nenhuma regra registrada em livros nem em manuscritos antigos, cada um de nós consegue encontrar seu caminho[60]. E é nesse processo que nos tornamos capazes de acertar nossas contas pessoais, tanto com os outros como conosco, e dizer o que ainda há para dizer.

O MELHOR DIA POSSÍVEL

A beleza não elimina a tragédia, mas a torna suportável.
Rubem Alves

Em um belo texto que publicou no *New York Times* em 2014, o cirurgião oncológico Atul Gawande contou a história de Peg Bachelder, professora de piano de sua filha. Peg tivera um câncer pélvico alguns anos antes e, por causa do tratamento, desenvolvera uma forma de leucemia.[61] Porém, o tratamento da leucemia não vinha funcionando, e Peg tinha sido hospitalizada com quadro infeccioso grave, que a deixou fraca e debilitada. Como se não bastasse, o tumor da região pélvica havia retornado, causando dor e incontinência urinária. Peg estava vivenciando uma situação irreversível, de grande sofrimento, e Gawande se viu num debate moral consigo mesmo: como lidar melhor com cenários daquele tipo? Ele escreveu:

> Em primeiro lugar, nós, na medicina e na sociedade, temos falhado em reconhecer que as pessoas têm prioridades que vão além de viver mais tempo. Em segundo lugar, a melhor maneira de aprendermos quais são essas prioridades é perguntar. [...] Essas discussões devem ser repetidas o tempo todo, porque as respostas das pessoas mudam. Apesar disso, podemos e devemos insistir em que os outros conheçam e respeitem nossas prioridades.

Após uma conversa franca com Peg, o médico sugeriu que ela fosse para um *hospice* , onde viveria seus dias da melhor forma possível. Ela concordou, conformada com as limitadas perspectivas que tinha pela frente. Mas, alguns dias depois, telefonou para Gawande e lhe disse que tinha resolvido voltar a lecionar piano. Contou que, tão logo chegara ao *hospice*, a enfermeira lhe perguntou o que era mais importante em sua vida, o que o melhor dia possível significava para ela. Então começaram a trabalhar juntas para que esse dia se tornasse possível. Intensificaram o controle da dor, colocaram piano onde Peg pudesse usá-lo, organizaram um planejamento para o banho e para a administração de analgésicos a fim de que ela estivesse o mais confortável possível no horário das aulas. O melhor dia possível, na versão de Peg, era aquele no qual pudesse estar com seus alunos. Chamou cada um deles em separado para dar um presente pessoal e dizer algumas poucas palavras especiais. Tocavam juntos, conversavam, e, de repente, Peg voltava a ser a pessoa que sempre tinha sido: adorável, gentil e profundamente feliz. Partiu pouco tempo depois, deixando seu legado na vida de todos os que tiveram o privilégio de conviver com ela.

Estação 7 – Fase final de vida

Vá em paz, querida.
J. E. O., marido

A Estação da Fase Final de Vida é tão surpreendente quanto assustadora. Estamos falando das horas ou dias que antecedem a morte de pacientes com câncer irreversível, e não reconhecer o início dessa fase pode privá-los de receber cuidados adequados e proporcionais a sua situação de vida.[62,63] Por outro lado, a proximidade inegável da morte talvez ofusque nosso olhar e paralise nossas ações, e isso vale tanto para a família quanto para a equipe de saúde. Nas palavras de Dennis McCullough,

> A Estação da Fase Final de Vida implica muitas incertezas, quase a ponto de nos questionarmos se nossa intuição está correta. “Será que ele está realmente morrendo?” “Será que eu deveria ir visitá-lo antes do programado?”[64]

Em um belo texto no *Journal of Clinical Oncology*, o médico americano Alan Astrow escreveu:

> A morte é algo difícil de pensar e mais difícil ainda de falar com outros. Aceitar sua inevitabilidade, se formos capazes de fazer isso, será mais processo do que acontecimento. Conversar com o paciente sobre a morte dele, e então permanecer verdadeiramente a seu lado no momento de maior necessidade e encontrar a melhor estratégia para ele dentro de sua individualidade, exige não apenas empatia como também a capacidade de perceber o que está em jogo quando a vida de alguém está na balança. Às vezes, os médicos precisam refletir sobre o sentido da vida e da morte – pensar existencialmente, por assim dizer.[65]

E, claro, dar espaço a essas questões existenciais não costuma fazer parte das atribuições médicas rotineiras aprendidas na faculdade. O mesmo se pode dizer dos outros profissionais que participam desse momento, como enfermeiros, fisioterapeutas e tantos mais. Nosso posicionamento é por vezes ambíguo, gerando grande conflito entre o ímpeto de agir para tentar evitar a morte e a intuição de que devemos permitir que ela se aproxime, apenas permanecendo presentes e evitando mais danos. O desafio é reconhecer os sinais de que a morte já está por ali, sentada no sofá ou na beirada do colchão, observando calmamente nossos movimentos e aguardando a hora exata de cumprir sua missão. Uma vez iniciado o processo, não há como voltar.

O PROCESSO

Tu vens, tu vens/ eu já escuto os teus sinais.
Alceu Valença

Pode parecer bizarro, mas não aprendemos como é o morrer. Nas palavras de Katy Butler,

> já que poucos de nós foram expostos ao processo de morrer como passagem normal da vida, somos tanto cativados quanto tiranizados pela morte. Ficamos aterrorizados, numa atitude silenciosa e fugidia, ou então nos perdemos numa narrativa sentimental da “boa morte”, experiência puramente espiritual em que tudo é perdoado, os céus se abrem e secreções, odores, exaustão e confusão simplesmente desaparecem. Mas a morte, assim como o nascimento, mescla o que é animal com o que é espiritual.[66]

Mesmo entre profissionais da saúde, o incômodo e a estranheza ante os sinais da proximidade da morte são muito mais frequentes do que se imagina. Durante os anos de faculdade ou depois dela, não existe nenhuma disciplina voltada para o processo ativo do morrer. Não aprendemos a reconhecer seus sinais, seu cheiro, seus paradoxos. Se tivermos sorte, esbarraremos pelo caminho com alguém que se debruce um pouco mais sobre o tema e se mostre disposto a nos apontar esses sinais, guiando nossos sentidos para reconhecê-los. De maneira geral, tudo que aprendemos é a constatar um óbito, buscando o pulso que já não se pode palpar, auscultando o coração que já não bate, iluminando pupilas que não mais reagem à luz. Porém, o processo não depende de nossa capacidade de reconhecê-lo, e, mesmo sem notarmos, ele se anuncia bem antes do final.

No cenário oncológico, a fase final de vida pode ser ainda mais difícil de reconhecer, pois não é incomum que venhamos de um processo de deterioração do corpo e da mente que é longo e contínuo e confunde nossas percepções. Também não ajuda muito o fato de que estamos falando seja de uma infinidade de doenças agrupadas sob o mesmo nome – "câncer" –, seja de uma infinidade de pessoas com realidades únicas, do ponto de vista tanto físico como emocional, social, espiritual e familiar. Às vezes, a morte é uma experiência suave do início ao fim, às vezes não: momentos de medo, agitação, confusão, falta de ar, irritabilidade, raiva e dor são comuns, e, embora quase sempre aliviáveis com medicamentos, o morrer pode ser doloroso para a pessoa que está partindo e exaustivo e estressante para quem está com ela.[67] Isso significa que o processo de morrer não é sempre igual nem muito menos algo totalmente previsível. É possível, contudo, aprender a identificar seus sinais.

Alguns deles são considerados *precoces*, porque começam a aparecer entre poucos dias e poucas semanas antes da morte.[68] Uma fraqueza aguda e progressiva, por vezes inexplicável e frequentemente responsável pela limitação da pessoa ao leito, é um desses sinais. É como se um pequeno gesto – pegar um copo de água na cabeceira da cama, por exemplo – exigisse esforço equivalente ao de levantar uma geladeira sozinho. O sono começa a ficar irresistível, e passar longos períodos dormindo se torna rotina. Líquidos e alimentos perdem o apelo, incapazes de despertar o desejo daquele que está partindo. Mesmo quando aceitos, a dificuldade de deglutir os torna desconfortáveis ou até dolorosos. Sintomas relacionados à doença, como dor e falta de ar, começam a piorar depressa, exigindo ajustes mais frequentes na medicação. Um vocabulário novo também surge nas conversas com a equipe de saúde. Termos como *falência de vários órgãos*, *priorização de medidas de conforto* e *descontinuar medidas de suporte* significam que a equipe considera ser hora de parar de "lutar" contra a morte e concentrar todos os esforços no alívio do sofrimento, proporcionando o melhor desfecho possível.

A morte não é uma emergência. Ela acontece conosco desde sempre, e, se não há desconforto evidente, não há necessidade de correria, afobação nem apoio profissional imediato. Uma única pessoa que mantenha a serenidade no ambiente faz uma diferença brutal. Olhe. Observe. Respire. O tempo agora é o da pessoa, não o nosso. Dedique alguns minutos para se conectar com o que está ao redor. Deixe o conforto guiar seus passos. Aqui, a intuição costuma falar mais alto do que palavras e acontecimentos. A intuição é valiosa não porque tem natureza mística ou misteriosa, mas porque vem da observação, da cautela, da presença, da vivência. A intuição acontece quando nossa voz se cala e permite que as almas conversem entre si.

O CUIDADO

As mãos que ajudam são mais sagradas que os lábios que rezam.
madre Teresa de Calcutá

A compreensão de que a vida está chegando ao fim dá início a um novo momento do cuidado. A Estação da Fase Final de Vida está mais ligada a reagir do que a agir, mas essa postura menos ativa nada tem de negligente. Estamos falando de manter-se atento aos possíveis desconfortos e atuar para minimizá-los, de prevenir os desconfortos que puderem ser evitados.[69] É uma mudança mais de olhar do que de ação. A prioridade absoluta é o conforto. Os enfermeiros costumam ter tal olhar em seu DNA, o que os coloca em posição especial nessa fase, e a parceria entre a enfermagem e a família é capaz de transformar a experiência do fim da vida em algo muito mais significativo. Nessa altura, a relação de todos vocês com a equipe de saúde já é provavelmente de afeição e alguma intimidade, o bastante para que a parceria se consolide de forma mais natural. É preciso observar sem pressa, agir com presteza e acolher com compaixão, e isso independe de quanto a pessoa está lúcida. Ao trabalho!

Os cuidados com a pele têm papel importante aqui. Feridas decorrentes dos longos períodos na cama podem surgir de repente, causando dor e infecções. Examinar as áreas mais propensas a essas feridas, como as costas, as nádegas e os calcanhares, ajuda a intervir precocemente, intensificando a hidratação e utilizando placas medicamentosas específicas para tal fim. A pele mais fina e frágil também costuma resultar em ferimentos, lacerando-se com facilidade ao toque. O manuseio cuidadoso da pessoa durante qualquer procedimento e a hidratação da pele como um todo minimizam o risco dessas lesões. Massagear com delicadeza todo o corpo durante a aplicação de cremes hidratantes, aliás, costuma se transformar em uma experiência de grande relaxamento para a pessoa. A família deve se engajar nesses cuidados junto com os profissionais da saúde, favorecendo a conexão e a intimidade.

A higiene cuidadosa da mucosa oral também ajuda a evitar desconfortos resultantes de ulcerações. Aplicar gazes embebidas em água fresca para manter a boca hidratada, ou mesmo usar saliva artificial, previne o ressecamento que a manutenção da boca aberta durante a respiração venha a causar. Hidratantes labiais como manteiga de cacau ou similares também são de ajuda.

Muitas vezes, os cuidados de higiene precisam ser individualizados nessa fase. Os banhos podem ser momentos de grande relaxamento e prazer, sobretudo se tomados com serenidade, sem afobação, em ambiente agradável, talvez ao som de uma música tranquila. Mas, embora seja recomendável manter os banhos diários sempre que possível (mesmo que no leito), há situações em que ser banhado causa desconforto ou dor; isso é resultado da manipulação, em especial nos últimos dias de vida. Aqui, cabe dar um passo atrás e utilizar o mesmo bom senso que tem nos guiado até o momento. Se o desconforto causado pelo banho convencional for significativo, é possível lançar mão da higienização com compressas ou lenços umedecidos, por exemplo. Em alguns casos, até mesmo abrimos mão da higienização completa, priorizando apenas as regiões mais propensas a sujidades, como axilas, dobras e genitália. Sempre vale lembrar que o ambiente do banho pode causar desconforto: janelas abertas que permitam que o vento frio invada o quarto, ar condicionado ligado, ambientes barulhentos, água com temperatura desagradável e produtos de higiene com cheiro forte talvez transformem a experiência em uma pequena tortura. Antes de começar, olhe em volta e ajuste o ambiente. Sem pressa.

O controle de possíveis maus odores tem papel de destaque em oncologia. Tumores que evoluem com ulcerações e/ou secreções intensas às vezes resultam num ambiente no qual a permanência é insuportável, gerando angústia, constrangimento e isolamento social. Existem estratégias eficientes para eliminar esses odores, que vão de medidas simples de higiene ao emprego de antibióticos tópicos, curativos oclusivos ou placas de hidrocoloide. Também há medidas ambientais para diminuir os odores, como desodorizantes de ambiente, almofadas de ervas, óleos essenciais, aromaterapia, ventilação adequada e remoção frequente dos materiais sujos. Até pequenas estratégias, como colocar no quarto uma tigela com pó de café, costumam ajudar[70].

A mobilidade é questão delicada. Aprendemos que mobilizar com regularidade os pacientes acamados é parte da excelência no cuidado, porque ajuda a prevenir a formação de úlceras de pressão, reduz o risco de tromboses e alivia dores musculares relacionadas à imobilidade. Na Estação da Fase Final de Vida, porém, mobilizar pode ser sinônimo de causar desconforto, e por isso é imperioso pesar os riscos e benefícios. Se estamos falando da fase inicial do processo – na qual ainda temos de dias a semanas pela frente –, a mobilização traz benefícios significativos, e talvez valha a pena otimizar o controle de sintomas como dor e falta de ar antes das mobilizações, para que possam ser realizadas com mais conforto. Se, porém, estamos falando de um tempo mais restrito – de horas a poucos dias –, aquela estratégia perde todo o sentido.

Outro ponto importante é o uso da restrição mecânica (ou seja, amarrar os braços e as pernas ao leito) para imobilizar pacientes que estejam apresentando agitação ou *delirium*. A justificativa é protegê-los de si mesmos e/ou garantir a segurança das outras pessoas. Cabe ressaltar – com veemência – que, em nosso cenário, a restrição mecânica configura má prática assistencial. Hoje dispomos de estratégias eficientes, medicamentosas ou não, para controlar tais sintomas sem precisar restringir o paciente ao leito por amarras, o que lhe infligiria ainda mais sofrimento. A restrição mecânica é uma estratégia desumana e lamentável, que denota falta de conhecimento da equipe de saúde sobre o controle adequado da agitação na fase final de vida.

Monitorar os sinais vitais – pressão arterial, batimentos cardíacos, frequência respiratória e temperatura corporal – faz parte da rotina mais básica da enfermagem, e justamente por isso eles costumam ser verificados a intervalos regulares e sem questionamentos. Mas, na fase final de vida, não há sentido em monitorá-los (pelo menos não de forma automática e padronizada). Se compreendemos que a pressão arterial deve cair aos poucos como parte normal do processo e que não faremos intervenções para evitar essa queda, qual é o motivo de tomar a pressão? Se sabemos que os pulmões estão entrando em falência e que a respiração dificultosa é esperada e irreversível, não seria mais eficaz utilizar nosso tempo observando se há algum sinal de desconforto no rosto da pessoa do que olhando para o relógio enquanto contamos quantas vezes seu peito se expande? No contexto em que estamos, manter a rotina mecânica de verificar sinais vitais pode ser não apenas inútil como também desconfortável. Mais do que nunca, perguntarmos a nós mesmos o porquê de estarmos fazendo isso é transformador. De novo, trata-se de uma mudança do olhar, ajustando nossas lentes à realidade da pessoa em vez de ajustar a pessoa a nossa realidade.

Questionamentos sobre cada atitude e cada intervenção devem, aliás, ser estendidos a outros aspectos do cuidado. Um deles é a via para administrar medicamentos. Embora a administração de medicamentos pela boca seja mais fisiológica e mais fácil, nem sempre é factível empregá-la. Para muitos pacientes oncológicos, engolir comprimidos é penoso. Dor para deglutir, náuseas, vômitos, presença de ulcerações na boca ou na garganta, boca seca e algumas outras situações costumam dificultar a ingestão. O uso da via oral pode também ser inviável em pacientes que estejam confusos ou inconscientes. Em tais casos, é importante buscarmos outra via para que eles recebam a medicação necessária da maneira mais confortável possível. Muitos pacientes oncológicos são portadores de cateteres (comumente chamados *port-a-cath*), implantados tempos antes para administração de quimioterapia. Se é esse o caso, o cateter deve ser utilizado para administrar medicamentos (não, ele não é feito apenas para a quimioterapia!). É uma via segura e confortável para isso. Quando o *port-a-cath* não está disponível, avaliamos a possibilidade de um acesso subcutâneo (chamamos de *hipodermóclise*), no qual uma pequena agulha é inserida sob a pele do tórax ou do abdome e mantida lá por até cinco a sete dias, quando deve ser trocada. A hipodermóclise nem sempre é familiar aos profissionais de saúde, mas é muito utilizada por paliativistas, pois permite administrar com menos desconforto praticamente todos os medicamentos necessários nessa fase. De fato, é considerada bem mais confortável do que os acessos venosos comuns, em geral mais difíceis nesse contexto em que os vasos sanguíneos tornam-se frágeis e finos. Se necessário, a via retal também pode ser utilizada para algumas medicações, embora questões culturais devam ser levadas em conta nesse caso.

A escolha da via de administração precisa ser acompanhada da avaliação criteriosa e frequente da própria prescrição médica. O medicamento receitado ontem ainda é útil hoje? Há algum item da prescrição que não esteja trazendo benefícios diretos ao conforto do paciente? As medicações necessárias podem ser administradas pela via que estamos considerando? É possível simplificar a posologia dos remédios, evitando desconfortos adicionais? Na Estação da Fase Final de Vida, a regra é clara: quanto menor e mais simples a prescrição, melhor.

O último aspecto digno de (muita) atenção é o apoio espiritual. A Estação da Fase Final de Vida é permeada de dúvidas existenciais, de angústias profundas e/ou de uma necessidade premente de compreender o próprio legado. Oferecer esse apoio é parte do cuidado, e vale a pena ir atrás dele. Até mesmo pessoas que pouco frequentaram a Igreja ou outros cultos talvez sintam agora necessidade de se reaproximar da religião. Além disso, a espiritualidade pouco tem que ver com religiosidade, e as necessidades espirituais podem ser prementes inclusive na ausência de uma religião específica. Os capelães são os profissionais mais capacitados para tal apoio. Eles são capazes de explorar essas questões de forma surpreendentemente respeitosa e eficaz, promovendo imenso alívio que costuma ter impacto positivo no controle dos sintomas físicos da doença. Muitas vezes, a dor do corpo reside mesmo é na alma.

ALIMENTO PARA O CORPO, ALIMENTO PARA A ALMA

Você tem sede de quê?/ Você tem fome de quê?
Titãs

A dieta e a hidratação são assuntos que costumam gerar conflitos na Estação da Fase Final de Vida. A razão biológica pela qual nos alimentamos é oferecer ao corpo nutrientes que promovam a saúde e resultem em energia para nossas atividades. No entanto, o corpo de alguém na fase final de um câncer vivencia um contexto muito diferente: está em processo de desaceleração e desligamento do metabolismo. Não há mais necessidade de nutrientes para converter em energia, e por isso o apetite diminui de modo drástico. A experiência de sentir fome ou sede desaparece aos poucos (é comum que, num dia inteiro, a pessoa não queira comer nada além de uma gelatina!). O processo é fisiológico na fase final de vida e não deve (ou não deveria) ser visto com estranheza. Por outro lado, a perda do apetite é uma experiência dolorosa para a família e até para a equipe de saúde. A ideia de que a pessoa querida "morrerá de fome", ou sofrerá com a desidratação, costuma ser torturante, levando familiares ou profissionais da saúde a considerar a introdução de nutrição e/ou hidratação artificiais (isto é, a administração de alimentação por sondas inseridas pelo nariz ou por cateteres venosos e a de líquidos por via intravenosa)[71]. Esse dilema fica ainda mais complexo quando a pessoa já recebe alimentação e/ou hidratação artificialmente e, por causa do diagnóstico de fase final de vida, aventa-se a possibilidade de retirar essas medidas. De modo paradoxal, a própria alimentação (seja pela boca, seja por sondas) é um verdadeiro martírio em alguns casos, pois causa dor ou náuseas; e a hidratação acaba gerando mais desconforto à medida que exige mais idas ao banheiro (ou mais trocas de fraldas) e pioram sintomas relacionados ao acúmulo de líquidos, como inchaço e falta de ar. Como, então, chegar a um meio-termo no qual todos se sintam acolhidos em suas angústias? Como saber qual é a decisão certa a tomar? Mais uma vez, dois princípios *slow* – a individualização e a segurança em primeiro lugar – cabem como uma luva aqui.

O primeiro passo é definir (ou relembrar) com clareza nossos objetivos nessa fase. Se todos concordam que o principal deles é o conforto, é importante esclarecer que administrar nutrição e/ou hidratação por via artificial talvez não se preste a isso. Nas últimas semanas de vida, o benefício do suporte nutricional artificial é mínimo ou nenhum, visto que não resulta em ganho de conforto nem de funcionalidade. De fato, o metabolismo está desacelerado durante a fase terminal, e as quantidades habituais de energia e substratos obtidos da dieta podem ser excessivos e induzir o que chamamos de *estresse metabólico*[72]. Como já comentamos, tais medidas têm por vezes o resultado contrário, aumentando o desconforto. Entretanto, cabe ressaltar que pacientes e familiares às vezes têm fortes crenças pessoais sobre nutrição e hidratação, enxergando-as como medidas legítimas de cuidado e conforto que promovem tanto qualidade de vida quanto dignidade. É uma visão que pode divergir por completo da visão da equipe de saúde, que as considera intervenções médicas fúteis ou até deletérias nessa fase. A comunicação clara e compassiva é a chave para solucionar o impasse: se a não instituição ou a suspensão daquelas medidas artificiais causa sofrimento emocional maior que os potenciais desconfortos físicos, cabe à equipe de saúde dar um passo atrás e reconsiderar. É ainda provável que sejam muito úteis estratégias intermediárias entre os dois extremos: oferecer uma pequena quantidade de alimentos de fácil ingestão, ainda que muito aquém da quantidade que costumamos considerar suficiente, traz grande alívio ao desconforto emocional da família. O mesmo vale para a substituição dos alimentos convencionais por sorvetes, gelatinas e um pequeno volume de líquidos. Isso pode ser feito enquanto o paciente aceitar, mas cabe orientar a família a não insistir ante a recusa.

Outro ponto de frequente divergência é a crença de que a nutrição e/ou hidratação artificiais prolongam a vida. Não há nenhum indício de que tais medidas levem a esse resultado, assim como não têm impacto positivo na funcionalidade do indivíduo[73]. A principal revisão sistemática da bibliografia médica disponível concluiu que não existem indícios suficientes de benefícios daquelas medidas na fase final de vida[74]. Mais uma vez, deve prevalecer o bom senso e uma boa avaliação das crenças de paciente e família. Na balança, o menor sofrimento sempre terá peso maior.

SEDAR OU NÃO SEDAR: EIS A QUESTÃO

Pra que sofrer com a despedida/ Se quem parte não leva/
Nem o sol, nem as trevas/ E quem fica não se esquece/
Tudo que sonhou?
Cazuza

A fase final de vida de pacientes oncológicos nem sempre corresponde à imagem romantizada que vemos em filmes ou ouvimos de profissionais da saúde. Uma pessoa tranquila, adormecida no leito após longo tempo de doença, sem sinais de sofrimento, cercada pelos familiares, num ambiente aconchegante com pouco (ou nenhum) aparato tecnológico médico e, de preferência, com períodos em que consegue despertar por alguns momentos e é capaz de se despedir de todos com palavras lúcidas e carregadas de paz: essa costuma ser a imagem que traduz o conceito de "boa morte" – a ausência de dor e sofrimento para paciente, familiares e cuidadores, num processo consonante com os desejos deles e razoavelmente coerente com os padrões culturais e éticos que vigoram. Os desejos das pessoas a respeito da morte já foram até avaliados numa revisão sistemática da literatura científica, quando se analisaram 36 estudos que envolviam pacientes, familiares e profissionais da saúde. Na esmagadora maioria desses estudos, a "boa morte" estava atrelada à possibilidade de decidir sobre o processo de morrer (como, onde, quando e com quem) e os preparativos para o fim (leiam-se diretivas antecipadas de vontade). O segundo aspecto mais associado à boa morte foi a ausência de dor, seguindo-se a ele o bem-estar emocional e a preservação da dignidade[75].

Na prática, porém, a paisagem costuma ser bem mais árida. Há seis áreas que precisam ser bem trabalhadas para que o processo de morrer seja considerado bem-sucedido e digno: (1) sintomas físicos; (2) sintomas psicológicos e cognitivos; (3) necessidades econômicas e de cuidado; (4) relações sociais e rede de suporte; (5) crenças espirituais e existenciais; e (6) expectativas pessoais[76]. Atendendo-se a todas essas necessidades, eleva-se a probabilidade de uma despedida digna, com o mínimo possível de sofrimentos e cicatrizes traumáticas – uma boa morte. Mas suprir todas é um desafio muito maior do que parece, em especial no cenário oncológico. A natureza do câncer já é cruel e desafiadora. Com enorme frequência, os sintomas físicos da doença são tão intensos e perturbadores que atraem para si todos os olhares, protagonizando a cena e deixando pouco espaço para que se trabalhem as outras áreas. Pelo menos 60% dos pacientes experimentarão dor na fase avançada da doença. Quase metade terá falta de ar, e a confusão mental poderá acontecer em mais de 80% dos casos. Sintomas como náuseas, vômitos, obstruções intestinais, hemorragias, mau odor e fadiga intensa são parte da história natural de vários tipos de câncer. Como pensar em questões existenciais se a dor grita tão mais alto? Como trabalhar as questões socioeconômicas se o ar insiste em não entrar nos pulmões? Como almejar o bem-estar emocional se as náuseas impedem até pequenos momentos de prazer? Quando o sofrimento do corpo fala mais alto, a mente e a alma não conseguem se expressar.

O "barulho" que o câncer costuma fazer na fase final é justamente o motivo pelo qual trabalhamos tanto, na Estação do Declínio, para desobstruir a comunicação sobre o que esperar do futuro. A consciência de que talvez seja necessário priorizar quase por completo os sintomas físicos permite que as outras áreas sejam trabalhadas antes que esses dias difíceis se aproximem. Pode ser que não haja dor, que não ocorra falta de ar nem outro sintoma que nos impeça de vivenciar as questões não físicas, e isso seria maravilhoso. Pode ser também que, mesmo com os sintomas aparecendo (ou piorando), seja relativamente fácil amenizá-los, deixando espaço para as outras dimensões da existência humana, e isso seria uma bênção. Mas o fato é que nem sempre os sofrimentos físicos impostos pelo câncer são simples de manejar. Acresça-se que o manejo adequado nem sempre faz parte do arsenal técnico das equipes de saúde, porque às vezes exige uma *expertise* disponível apenas quando os profissionais têm formação específica em cuidados paliativos, por exemplo.

É aqui que o calo aperta.

Vemos pacientes vivenciarem um sofrimento intenso, para o qual se oferecem apenas duas opções cruéis: a de que é necessário suportar, porque o câncer causa sofrimento mesmo e "não há mais nada que possamos fazer"; ou o encaminhamento a uma UTI para que o paciente seja sedado e mantido por aparelhos ("para não ficar sofrendo aqui no quarto"). Está aí talvez o ponto que é mais importante compreender na Estação da Fase Final de Vida:

o sofrimento – seja físico, seja emocional, seja de qualquer outra natureza – é previsível na história natural do câncer, mas não é *aceitável*. E vivenciar a fase final de vida numa UTI, cercado de aparelhos, tubos e ruídos, longe de quem amamos, sem a perspectiva de sair de lá, é menos aceitável ainda. Conformar-se com o sofrimento ou dar a ele uma solução absolutamente desproporcional a nossos objetivos são opções que, em geral, refletem o despreparo da equipe de saúde. Estamos numa encruzilhada e precisamos encontrar uma terceira via, um caminho sóbrio, respeitoso e justo. Estamos falando, possivelmente, da sedação paliativa.

Sedação paliativa é a utilização monitorada de medicamentos com o intuito de aliviar sintomas graves refratários – de ordem física, espiritual e/ou psicossocial – em pacientes com diagnóstico de doença terminal. Faz-se isso induzindo graus variáveis de inconsciência. O objetivo primordial é promover conforto e aliviar o sofrimento, não acelerar a morte[77]. Em outras palavras: quando estamos diante de uma pessoa com doença terminal e sofrimento considerado insuportável e impossível de aliviar, podemos oferecer medicamentos que lhe tirem a consciência para que ela termine seus dias em paz. Cabe ressaltar que, conforme adiantamos, sedação paliativa nada tem que ver com eutanásia. Essa última objetiva interromper a vida de quem sofre, ao passo que a sedação paliativa se destina a aliviar o sofrimento pela indução da inconsciência. Na literatura médica, aliás, há dados bastante robustos para comprovar que essa sedação, quando bem indicada e administrada, não reduz o tempo de vida dos pacientes[78,79].

A segunda ressalva: é preciso compreender que a indicação adequada da sedação paliativa passa necessariamente pela avaliação correta de quanto os sintomas são refratários. O fato de o médico não ter conhecimento suficiente para controlar a dor de um paciente não deve bastar para que a dor seja considerada refratária: antes de pensar na sedação como opção, é preciso que se tenham feito todos os esforços para aliviar a dor (ou qualquer outro sintoma). Um sintoma só deverá ser considerado refratário se não existirem estratégias adicionais possíveis para seu alívio; se as intervenções adicionais possíveis estiverem associadas a efeitos adversos excessivos ou intoleráveis; ou se as possíveis intervenções adicionais não forem capazes de promover alívio em tempo aceitável[80]. Talvez seja necessária a ajuda de paliativistas para responder a essas questões, e fica bem mais fácil responder a elas se uma equipe de cuidados paliativos já estiver em campo nesse momento.

Embora os sintomas físicos sejam de longe os principais responsáveis pela indicação da sedação paliativa, é importante lembrar que sofrimentos de qualquer natureza justificam essa intervenção, aí incluídos os de ordem emocional e espiritual, desde que preencham os critérios de gravidade, intolerabilidade e refratariedade. E é sempre bom reiterar que quem define o que é intolerável ou não é o paciente.

Uma vez indicada a sedação paliativa pela equipe médica, inicia-se um processo muito delicado, que demanda uma comunicação clara, empática e respeitosa entre paciente, familiares e equipe de saúde. Essas conversas têm por objetivo esclarecer as causas do sofrimento atual; as medidas que já foram tomadas para aliviá-lo; os motivos pelos quais tais medidas não têm obtido sucesso; as possíveis intervenções adicionais (e suas limitações); a evolução esperada para as horas, dias ou semanas seguintes; as expectativas de todos os envolvidos; os aspectos técnicos relacionados à sedação (como é realizada, quais são seus objetivos, como a pessoa se comportará após sedada); e quaisquer outras dúvidas que surjam no caminho. Iniciar a sedação paliativa é raras vezes uma estratégia emergencial, e portanto há tempo para evitar mal-entendidos e desconfortos.

Mesmo quando a sedação foi previamente discutida com o paciente durante a elaboração das diretivas antecipadas de vontade e está de acordo com os desejos e expectativas dele, é sempre imprescindível conversar com a família, esclarecer suas dúvidas, acolher possíveis angústias e envolvê-la no processo. Embora os desejos expressos do paciente prevaleçam na decisão final, deve-se sempre buscar a concordância de todos. Estamos falando de respeitar as crenças individuais, preservar a autonomia, acolher as angústias e, sobretudo, exercer a compaixão em sua forma mais profunda.

Seu Gilberto estava cansado. Os dois anos desde o diagnóstico de câncer de pulmão tinham sido longos e difíceis, deixando em seu corpo as marcas da doença e do tratamento oncológico. Os dedos, já enrugados pela idade, pareciam ainda mais finos e frouxos. Os poucos fios de cabelo que lhe restavam se enrodilhavam uns nos outros, formando pequenos emaranhados atrás das orelhas. Naquele quarto de hospital, a dor incomodava cada vez mais, exigindo ajustes frequentes nas doses de morfina. A falta de ar, já velha conhecida, se mostrava cada vez mais implacável, restringindo a vida dele à própria cama. Nos raros momentos em que seu Gilberto tentava se livrar do cateter de oxigênio para comer ou falar ao telefone, a doença mostrava sua força, obrigando-o a tossir ou a recolocar de imediato a cânula no nariz. Ele sabia que não ficaria muito mais tempo por ali.

Era uma manhã de chuva fina, e o vento fresco que entrava pela janela parecia trazer algum alívio para os pulmões machucados de seu Gilberto. Ele acordou particularmente sereno e pediu um pouco de café e um pedaço de bolo de fubá, do qual comeu só um pedacinho. Falava com dificuldade, mas sorriu com os olhos quando a esposa, dona Nina, entrou no quarto. Ficaram de mãos dadas um bom tempo, ela contando como estavam as coisas em casa, ele ouvindo num silêncio tranquilo, interrompido aqui e ali pela respiração ruidosa ou por algum acesso de tosse.

Em determinado momento, o assunto pareceu acabar. Os dois permaneceram um longo tempo ali, as mãos enroscadas umas nas outras, sem palavras para atrapalhar. Foi seu Gilberto quem quebrou o silêncio, com sua voz rouca e entrecortada.

"Nina, não sei quando vou embora, mas está perto, e não estou mais aguentando a falta de ar."

"Eu sei, Gilberto... Pra mim também é muito difícil ver você passar por isso. O que você quer que a gente faça?"

"Ah, Nina!... Eu só queria dormir... Diz pra médica que está na hora de eu dormir."

Os dois se olharam, com a cumplicidade de quem conhece cada gesto, cada som, cada movimento. Uma tristeza doce e profunda inundava o olhar deles, mas não havia desespero. Os dois sabiam o que estava para acontecer. Tinham conversado sobre isso entre eles e com a equipe de saúde. Sabiam que, se o sofrimento lhes fosse intolerável, seu Gilberto poderia ser sedado. Agora, vendo o peito arfante e ruidoso do marido, o esforço para conseguir dizer as poucas palavras que precisavam ser ditas, o coração de dona Nina sabia que era o momento: seu Gilberto não suportava mais. Ela o beijou na testa e disse quanto o amava. Ele lhe disse o mesmo.

Momentos mais tarde, quando foi iniciada a sedação paliativa, dona Nina estava a seu lado, as mãos deles mais entrelaçadas que nunca. Horas depois, ele dormia, inconsciente, o cérebro desconectado dos pulmões que o faziam sofrer. A esposa cantava para ele, embalando o sono do qual o marido não despertaria. Seu Gilberto morreu dois dias depois, longe da dor, longe da falta de ar e perto do coração de todos por ali.

Iniciada a sedação, é imperioso que o conforto (de todos) seja continuamente monitorado, permitindo que se providenciem ajustes na medicação, se realizem novas conversas e se continue o acolhimento. O período de sedação pode ser permeado de emoções, rituais, aprendizados, despedidas. A presença, no sentido mais sagrado, assume papel de protagonismo. É extremamente importante que se mantenham todas as medidas de higiene e conforto, assim como a medicação para controlar os sintomas. A ocorrência de retenção da urina e/ou das fezes também precisa ser monitorada, porque poderá acarretar desconforto se não percebida a tempo. É hora, ainda, de (re)discutir a suspensão de intervenções que sejam fúteis – medicamentos que não estejam contribuindo diretamente para o conforto, por exemplo, ou até mesmo a nutrição e a hidratação artificiais. Tudo isso demanda uma postura empática e respeitosa da equipe de saúde. Mais: exige profunda reverência pela vida que se vai. Talvez a forma mais bonita de traduzir essa reverência em atitudes seja continuar se comunicando com o paciente sob sedação, explicando-lhe em voz alta quem está ali e o que estão fazendo naquele momento, tocando seu corpo, ajeitando seu travesseiro, dirigindo-se a ele pelo nome. Talvez o paciente não escute. Talvez escute, mas não compreenda. Não importa. Conexões humanas nem sempre são feitas no nível da consciência. Elas também se estabelecem um pouco mais abaixo, na altura do coração.

"O" CUIDADO

Porque és precioso aos meus olhos, [...] permuto reinos por ti [...]
Jesus Cristo

Há um cuidado que está além do cuidar. Um cuidado que transcende a técnica, a prática, o ato. Não se trata de nutrir, medicar, limpar, aliviar. Implica estar presente, no sentido mais profundo da expressão. Trata-se da lealdade de continuar perto mesmo quando está difícil, de não desistir mesmo quando é doloroso. A presença alivia a solidão que o fim da vida pode trazer.

Aqui estamos falando da presença não do corpo, mas da alma. Da presença que se traduz no cuidado que ninguém mais vê, que é desenhado sob medida para aquela pessoa tão única, não importa se ele ou ela. As meias preferidas colocadas antes de dormir, como sempre se fez. A retirada daqueles incômodos pelos do queixo, que a vida toda a incomodaram. A barba feita. As unhas cuidadas. A seleção de músicas que sempre gostou de ouvir e que lhe traziam paz e alegria. A prece costumeira de todas as noites, sem a qual nunca dormia, agora proferida numa só voz solitária. A escolha da roupa de baixo que a deixava mais confortável. O cheiro de lavanda que gostava de borrifar nos travesseiros. A final do futebol na TV. A leitura em voz alta dos livros preferidos, ou dos que nunca puderam ser lidos, ou do jornal daquela manhã. As gotinhas de café colocadas em sua língua, com a ajuda de uma colher minúscula, pra fazer a pessoa lembrar que o cafezinho cheio de afeto nunca lhe faltará. Colocar um cobertor. Retirar um cobertor. Som de chuva. Som de passarinhos. Luz do sol entrando pelas janelas. Luar embalando o sono. Pessoas queridas por perto, do jeito que puderem estar.

É esse o cuidado que os livros não contam, mas que faz a alma descansar.

TELEFONE SEM FIO

A comunicação pela metade faz mal.
papa Francisco

Nem todos conseguem estar presentes quando a Estação da Fase Final de Vida se inicia ou, mesmo, quando está prestes a terminar. O mundo de hoje nos obriga a morar mais longe uns dos outros (às vezes separados por oceanos inteiros) e nosso tempo disponível é surpreendentemente restrito. Pior: mesmo um tempo restrito pode exigir planejamento para estar disponível. Na maioria das vezes, a Estação da Fase Final de Vida é uma etapa em que apenas algumas pessoas da família estão realmente próximas e disponíveis para o momento do desfecho.

Por outro lado, nenhum de nós é capaz de adivinhar com precisão como parentes ou amigos que estão distantes gostariam de ser informados sobre essa espiral que nos levará em pouco tempo ao final da história. A incerteza sobre como e quando as coisas vão acontecer, aliada à falibilidade humana para as previsões, pode resultar em alertas muito tardios ("Puxa, mas eu não tinha entendido que estava assim tão grave! Gostaria que você tivesse me avisado antes, para eu conseguir me despedir...") ou precoces demais ("Mas faz dias que você vem dizendo que ele está piorando depressa e não acontece nada..."). Na dúvida, avise. Explique sobre as incertezas e a inexatidão das previsões e permita que cada pessoa tome suas decisões por si. Se possível, faça uma pequena lista daquelas que gostariam de ser avisadas e, sobretudo, daquelas que o paciente gostaria de avisar (talvez ninguém). Facilite as coisas: deixe os contatos à mão.

Se vocês estão num hospital ou em outra instituição, aprenda o que puder sobre as regras para visitas, horários, número de pessoas permitido. A maioria das instituições permite grande flexibilização dessas regras na fase final de vida, e conhecer aquelas rotinas permitirá comunicação mais assertiva com aqueles que porventura queiram estar presentes. Isso se aplica inclusive à visita de crianças e de animais de estimação que tenham papel significativo na vida da pessoa e dos quais sinta falta. Se vocês estão em casa, estabeleça os horários em que as visitas serão menos atribuladas. Receber visitas no horário do banho, da alimentação ou do sono é exaustivo e constrangedor. E não se martirize por pedir a alguém que não venha em determinado horário ou – até – que não venha em momento nenhum. As prioridades não mudaram: elas estão voltadas para o conforto do ente querido. Explique com serenidade o motivo das restrições, em especial se for desejo expresso da própria pessoa doente. Use (e abuse) do bom senso e da sensibilidade, mas deixe tudo o mais claro possível. Não é hora de "telefone sem fio".

Outro assunto incômodo mas necessário são os detalhes logísticos do funeral. Não é comum que as pessoas expressem desejos sobre o próprio funeral, como a roupa com que querem ser vestidas, se gostariam que houvesse velório, se preferem ser sepultadas ou cremadas. Às vezes, o tema é tão espinhoso que os parentes nem mesmo sabem se o paciente tem plano funerário ou se o convênio médico dá direito a esse tipo de assistência. Caso essas informações tenham sido obtidas, a Estação da Fase Final de Vida é o momento de providenciar o que for necessário para que tudo aconteça de acordo com as instruções. Separar as roupas, entrar em contato com serviços funerários, informar-se sobre os requisitos para possível cremação e levantar outros detalhes, se providenciado com calma e antecedência, possibilitará que o momento da morte seja dedicado exclusivamente à despedida e ao luto, sem o ruído que a burocracia costuma impor nessas horas.

No entanto, abordar o assunto antes da morte pode parecer insensível ou até grosseiro. Em tais casos, recomenda-se que alguém que tenha envolvimento emocional menor se encarregue daqueles detalhes, preferencialmente sem alarde. Se instruções explícitas não foram dadas e a pessoa está lúcida, é possível que surja a oportunidade de perguntar o que deseja. Isso não precisa ser uma meta essencial, e, caso o assunto pareça deprimente ou desrespeitoso, simplesmente não pergunte: tome as decisões que julgar mais adequadas de acordo com o que você conhece dela, e estará tudo bem. O mais importante é que o ato final esteja em harmonia com a vida que em breve se vai – e com a vida de quem fica.

HORA DE PARTIR, HORA DE RESISTIR

Um dia é preciso parar de sonhar e, de algum modo, partir.
Amyr Klink

A prática de uma oncologia sem pressa, que priorizou estratégias sensatas e compatíveis com a realidade e os valores de vocês, resulta agora em confiança e serenidade quanto ao momento atual. Aquela prática possibilitou um conhecimento profundo de esferas importantes da pessoa que se despede. Permitiu compreendermos suas prioridades e nos prepararmos para o que estamos enfrentando agora. Esse é o momento de, emocionalmente, deixá-la ir.

Pode ser, entretanto, que nem todos estejam no mesmo ponto do caminho que você. Sua postura mais serena de aceitação talvez seja confundida com negligência, tanto por familiares como por membros da equipe de saúde que eventualmente não tenham acompanhado todo o processo. Não presenciaram os momentos importantes em que a pessoa deixou claros seus desejos, nem participaram das decisões delicadas que nos trouxeram até aqui. Reações diferentes às vezes brotam dos diferentes membros da família. É possível que você se sinta estigmatizado como alguém que tem coração frio e insensível, ou a quem falta fé, ou que demonstra má vontade em "continuar lutando". Talvez ouça comentários dolorosos até da equipe de saúde, que mantém as esperanças de reverter o quadro, ainda que essas esperanças não encontrem nenhum respaldo lógico. O medo e a raiva são capazes de surgir aqui e ali, mesmo entre as pessoas mais bem preparadas. A dor da perda iminente pode ser tão intensa que arrasta para a beira do leito de morte conflitos e ressentimentos mal resolvidos há anos, e não há como esperar que a aceitação da realidade aconteça de modo instantâneo, num passe de mágica (com você mesmo não foi assim, lembra?).

Mas, ao mesmo tempo que tais reações compreensíveis incomodam ou até machucam, o processo sem pressa no qual você e a pessoa de quem vem cuidando trabalharam juntos promove uma paz crescente, que vem da consciência de que a jornada está chegando ao fim.

A aceitação dessa realidade preenche aos poucos seus pensamentos, suas palavras e suas atitudes. Talvez você se sinta tão familiarizado com tudo isso que um vazio comece a se instalar dentro do peito, em antecipação à ausência que logo será parte da sua vida. Pode sentir a tristeza se espalhar por você quando planeja os próximos dias, quando fala de aspectos práticos que precisarão ser resolvidos e quando pensa nos detalhes do dia a dia que serão drasticamente transformados. É capaz de vislumbrar o futuro próximo, mas ainda não está lá, e há pessoas ao redor que não enxergam esse futuro que se avizinha. Resista. Sua capacidade de perceber com clareza e serenidade o que está prestes a acontecer não foi obra do acaso nem surgiu de um talento especial. Ela veio do seu envolvimento com todo o processo até aqui, e é justamente nos metros finais da jornada que você não pode esmorecer. Seja compreensivo com as pessoas em volta, exerça a empatia, mas mantenha-se firme e autoconfiante. O fim digno e merecido pelo qual trabalhamos até aqui dependerá, primordialmente, dessa sua capacidade de resistir.

Em *The caregiver's book – Caring for another, caring for yourself* [O livro do cuidador – Cuidando dos outros, cuidando de si mesmo], James Miller escreve:

> Há quase mil anos, um tibetano chamado Milarepa proferiu algumas palavras que todo cuidador deveria levar no coração. "Apresse-se devagar", disse ele, "para que possa chegar logo." Apresse-se devagar, como cuidador e como receptor dos cuidados, para que cada um possa chegar ao destino que procura, da forma que cada um merece. Apresse-se devagar e aprenda a praticar a paciência – paciência com a pessoa de quem cuida e paciência com você mesmo. Apresse-se devagar e aprenda a arte de perdoar, enquanto olha nos olhos do outro e vê o próprio rosto refletido ali. Apresse-se devagar e aprenda a disciplina de ser suficientemente resistente para se dobrar – e firme o bastante para ceder. Ao fazê-lo, o cuidado que você prestar assumirá a força que, de outra forma, não teria.[81]

Estação 8 – Morte

(silêncio)

> Não existe jeito certo de morrer. As pessoas podem ficar furiosas ou irritadas, amedrontadas ou preocupadas, tristes ou conformadas – ou tudo isso em momentos diferentes. Talvez sintam medo de perder o controle, de se tornar um fardo, de ser expostas a indignidades, de não ter recursos financeiros para o cuidado necessário. Talvez queiram falar sobre seu time de futebol ou se recusem terminantemente a discutir qualquer assunto mundano. Talvez digam "Estou morrendo" ou insistam em que vão "lutar" até o último suspiro. Algumas precisam revelar segredos, como ter dado um filho para adoção ou sido vítima de abuso sexual. Algumas precisam ouvir que todos vão ficar bem em sua ausência ou que alguém vai cuidar de tudo após sua partida. Algumas só dão o último suspiro quando os familiares estão todos fora do quarto. Sendo assim, deem um tempo de vez em quando.

Esse parágrafo de Katy Butler[82] é o retrato do que vemos à beira do leito. As pessoas sabem. Elas apenas reagem de formas diferentes a esse saber.

No final da vida, a maioria dos que vivenciaram no corpo toda a história do câncer avançado, com suas vitórias e derrotas, seus altos e baixos, compreende que o tempo já não é parte de sua realidade. Quanto mais conviveram com a doença (em especial na Estação do Declínio), mais familiarizados estão com a morte. Conheceram pacientes que se foram antes, ouviram suas histórias, assistiram enquanto a morte acontecia ao redor. Embora alguns estejam assustados ou tenham medo, a maioria nos diz, olhando nos olhos, que teme não a morte, mas o morrer. Compreendem que a vida não tem mais o sentido que gostariam e que o corpo já não consegue permanecer por ali. Muitas vezes, veem a morte como o merecido e necessário descanso após uma longa e exaustiva escalada. Apenas não desejam que esse descanso almejado lhes custe um tempo sofrido e indigno. Esperam, sobretudo, que o inevitável seja aceito e que seu tempo seja respeitado e preservado.

É HORA DE IR

E tudo o que era efêmero se desfez./
E só ficaste tu, que és eterno.
Cecília Meireles

Os sinais de que a morte vinha se aproximando já estavam aparecendo fazia algum tempo, desde a Estação da Fase Final de Vida. Aos poucos, aprendemos a identificá-los e a lidar com eles, principalmente quando causavam desconforto. Agora estamos em outro contexto, no qual outros sinais denunciam o que chamamos de *processo ativo de morte*. Eles prenunciam que o tempo que ainda temos é provavelmente de alguns poucos dias, talvez algumas horas.

A desorientação no tempo, percebida na confusão de datas e horários, é um daqueles sinais. Às vezes, mesmo parecendo lúcidas, as pessoas não conseguem lembrar em que ano estão, há quanto tempo foram internadas, nem mesmo se é dia ou noite, e esse estado de confusão tende a piorar rápido. A pressão arterial, até em hipertensos graves, começa a ficar mais baixa. O pulso, antes perceptível ao simples toque, mostra-se frágil e difícil de tomar, acelerado e irregular. O volume de urina diminui dia após dia. Alucinações são frequentes, em especial envolvendo pessoas já falecidas (na verdade, essas visões são tão comuns que os enfermeiros costumam considerá-las o sinal mais contundente de que a partida está muito próxima). Também são comuns pedidos insistentes para voltar para casa ou "ir logo embora", e ocorrem momentos de agitação ou torpor. A respiração começa a se modificar, com períodos de inspirações progressivamente mais rápidas e profundas, por vezes alternados com momentos de apneia (cessação momentânea da respiração). É um padrão que denominamos *respiração de Cheyne-Stokes*, comum quando estamos em processo já bem adiantado de falência dos órgãos, sobretudo do coração e do sistema nervoso central. Na fase mais terminal do processo, em geral a algumas horas da partida, a respiração pode se tornar ruidosa, como se os pulmões estivessem tomados por secreções ou líquidos, causando desconforto a quem presencia. Chamamos essa respiração ruidosa de *sororoca*, e ela é outro sinal frequente de que resta muito pouco tempo até o final. A queda da mandíbula durante o ciclo respiratório, o que mantém a boca permanentemente entreaberta, por vezes também acontece nessa fase, assim como as extremidades frias e pálidas, às vezes até azuladas. Longas pausas respiratórias, entremeadas de raros suspiros superficiais, nos mostram que o processo chegou ao fim. É questão de minutos.

Reconhecer o processo ativo de morte é uma capacidade importante para que tomemos medidas que sejam proporcionais. A morte, lembre-se, não é uma urgência. Ela é o desfecho inevitável que vínhamos prevendo, e o momento chegou. Não é preciso desespero, não é necessário correr. Mais do que tudo, precisamos de presença e atenção, de cuidado e suporte. A presença de membros da equipe de saúde que estejam familiarizados com o processo de morrer é especialmente útil, porque seus olhos treinados conseguem identificar sinais de desconforto que possam ser aliviados e suas palavras esclarecedoras são capazes de diminuir as muitas dúvidas que surgem no decorrer do processo.

Explicações simples costumam trazer alívio imenso e têm grande impacto na ansiedade da família. "Sim, esse ruído na respiração dela é normal, porque os pulmões já estão completamente relaxados. Não causa desconforto, apenas nos mostra que ela está prestes a nos deixar." "Os dedos assim frios indicam que a circulação dele já está entrando em colapso. É normal no fim da vida e não é doloroso para ele." "Veja como o corpo dela está totalmente relaxado na cama, sem as contorções que costumava fazer quando tinha dor. Isso mostra que está confortável, sem nenhum sinal de sofrimento. Ela está indo embora em paz."

Surpreendentemente, os profissionais da saúde (em particular os médicos) nem sempre estão familiarizados com os sinais do processo ativo de morte e, mesmo quando os percebem, tendem a ainda utilizar jargão e termos técnicos que fazem parte da sua prática desde sempre, mesmo não havendo mais sentido para eles. Essa linguagem pode parecer chocante ou irritante em alguns momentos, mas tente perceber a mudança progressiva que costuma acontecer nas palavras da equipe nessa fase. As frases tendem a incluir cada vez mais termos como *relaxado*, *tranquilo*, *confortável* e *sem sofrimento* e cada vez menos termos estritamente técnicos. É sinal de que a equipe está alinhada com o que vai acontecendo e compreende as prioridades, mesmo que seu jargão ainda apareça aqui e ali.

Na maior parte das vezes, o processo ativo de morte é bastante curto, de horas a poucos dias. Depende de diversas variáveis, de aspectos mais relacionados ao paciente (idade, condições de saúde, hábitos de vida) aos associados à natureza do câncer em si. Às vezes, contra todas as evidências, assistimos a processos mais longos do que esperávamos, e isso aumenta significativamente a ansiedade de todos. Podemos presenciar períodos de piora que, de modo inesperado, voltam à condição anterior, estabilizando-se por dias e colocando em dúvida nossa capacidade de avaliar a situação. Em outros casos, a piora é tão repentina que mal temos tempo de entender o que se passou. Independentemente do que aconteça, temos uma tarefa importante aqui: precisamos aprender a estar ao lado de quem está morrendo.

Lidar com todos esses desafios, muitos deles estranhos e pouco compreensíveis, gera ansiedade tanto no paciente quanto em sua família e na equipe de saúde (os profissionais da saúde ficam expostos de modo especial à ansiedade quando não participaram do cuidado que antecedeu a Estação da Fase Final de Vida). Controlar essa ansiedade melhora sobremaneira a qualidade do cuidado. Podemos usar estratégias simples, como o toque, iluminação aconchegante no ambiente, músicas tranquilas, palavras gentis, orações, aromaterapia, períodos de meditação. Se necessário, indicam-se tranquilizantes para ajudar a controlar a ansiedade do paciente. A redução dos níveis de ansiedade é extremamente contagiosa: ao notarmos serenidade no semblante do outro, nós mesmos nos sentimos mais serenos e, portanto, mais capazes de honrar os momentos finais daquela história única.

ESTOU AQUI PARA VOCÊ

Com as perdas, só há um jeito: perdê-las.
Lya Luft

Os momentos finais da vida são tão diferentes uns dos outros quanto as próprias pessoas são diferentes entre si. Mas, se há uma ponte que nos une a todos, ela consiste na confiança que sentimos a nosso redor e no impacto dessa confiança em nosso espírito. Será que minha família e meus amigos compreendem o que está acontecendo aqui? Será que percebem que é inevitável e me apoiarão até meu último suspiro? Será que estarão a meu lado se eu sentir medo, dor, solidão? Quando a confiança permeia as relações em torno da morte, esta costuma ser serena, com o ritmo que lhe é necessário, como a queda outonal das folhas das árvores.

Mas, para que seja assim, muito trabalho precisa ter sido feito. A confiança não se constrói em minutos. Ela vem dos inúmeros momentos de parceria ao longo do processo de adoecimento. Vem das conversas (as longas, as curtas e as silenciosas), das atitudes e da presença. Vem das demonstrações de afeto, de respeito e de resiliência. Vem da coragem e da crença compartilhadas. Vem, principalmente, dos acordos – escritos, verbais ou subliminares – que foram firmados. São esses acordos baseados na confiança que proporcionam a estabilidade do contexto físico, emocional e espiritual, necessária para que a morte chegue como aquelas folhas que caem no outono.

Essa sensação de confiança nos protege na vida e nos acolhe na morte. Assegurar o contato físico com quem está prestes a partir, seja mantendo as mãos dadas, seja dando abraços e beijos, seja deitando-se ao lado ou fazendo cafuné, é uma estratégia eficiente para garantir a sensação de proteção e de companhia que a maioria de nós gostaria de ter ao final. Os sons que nos são familiares e reconfortantes também ajudam a aumentar a confiança e o acolhimento e evitam a solidão que a morte traz consigo. Com certeza, os bipes dos monitores cardíacos, das bombas de infusão de medicamentos, do tubo de oxigênio e dos carrinhos barulhentos de medicações a entrar e sair do quarto não estão entre os últimos sons que as pessoas gostariam de ouvir antes de deixar o mundo, e, invariavelmente, toda essa parafernália pode ser desligada ou minimizada – basta nos lembrarmos disso. A audição é o último sentido que perdemos antes de morrer, e palavras de carinho, despedida e afeto talvez sejam a bagagem derradeira que levaremos deste mundo. É bom caprichar nelas.

O CORPO

No fim do jogo, peões e reis voltam para a mesma caixa.
provérbio italiano

Em uma das passagens mais emocionantes de *The art of dying well*, Katy Butler conta como três enfermeiras de uma unidade oncológica em Santa Bárbara, Califórnia (EUA), criaram uma espécie de ritual para lidar com o corpo de pacientes logo após a morte deles, independentemente da crença religiosa ou de qualquer outro aspecto pessoal. Elas diziam as frases em voz alta, durante o preparo do corpo, sendo acompanhadas ou não pelos familiares, enquanto cada parte do corpo era cuidada, limpa e massageada com óleo de lavanda:

Nós reverenciamos seus olhos, que nos viram com tanto amor e enxergaram a beleza do mundo.
Reverenciamos suas narinas, a passagem de sua respiração.
Reverenciamos seus ouvidos, que escutaram nossas vozes.
Reverenciamos seus lábios, que nos disseram a verdade.
Reverenciamos seus ombros, que suportaram fardos e resistiram.
Reverenciamos seu coração, que amou a todos nós.
Reverenciamos seus braços, que tanto nos abraçaram.
Reverenciamos suas mãos, que tocaram as nossas e realizaram tantas coisas.
Reverenciamos suas pernas, que levaram você a novos lugares e desafios.
Reverenciamos seus pés, que fizeram seu próprio caminho na vida.
Agradecemos as bênçãos que você nos deu durante nossa vida.
Agradecemos as memórias que criamos juntos.
Somos imensamente honrados por termos sido parte da sua vida.[83]

Na primeira vez em que li sobre esse ritual das enfermeiras, saltou-me aos olhos sua delicadeza diante de um momento tão sagrado, num gesto que conforta e acolhe, lembrando-nos de que somos todos tão iguais e tão diferentes. Ao contrário do que a maioria das pessoas imagina, a família pode participar do preparo do corpo, realizando por si mesma os procedimentos ou fazendo-o em conjunto com a equipe de enfermagem. A limpeza, a colocação das roupas e o posicionamento do corpo antes do velório sempre estiveram entre os rituais familiares de despedida e só passaram a ser responsabilidade de enfermeiros quando surgiu a atual tendência à hospitalização da morte. Para muitas pessoas, aquele último cuidado é carregado de significados, sendo parte da despedida e funcionando como última homenagem. Além disso, a presença e a participação da família garantem que a dignidade da pessoa continue preservada mesmo após a partida. Se for da vontade de vocês, peçam para participar.

Não foram poucas as vezes em que vi famílias inconsoláveis pelo descaso com que o corpo de alguém querido foi tratado, como se aquela existência inteira tivesse desaparecido junto com seu último suspiro. Às vezes, a excelência do cuidado se perde nos detalhes: a demora exagerada em providenciar o atestado de óbito (ou o preenchimento dele com informações incorretas); a colocação do corpo sobre a maca metálica fria sem nenhuma proteção; a falta de cuidado com a privacidade do ambiente enquanto a equipe prepara o corpo;

a falta de empatia ao encaminhar a família ao setor responsável pelos trâmites burocráticos; a pressa em retirar os familiares do quarto para que se inicie o preparo do corpo; a negligência com aspectos relacionados a crenças religiosas. Essas e tantas outras atitudes aparentemente insignificantes deixam na família a impressão de que aquele "foi só mais um óbito". Embora sejam detalhes, roubam dos familiares a sensação de individualização na qual trabalhamos por tanto tempo. Roubam deles a percepção de que deixarão lembranças na equipe e de que o ente querido era alguém especial e digno de ser amado.

O neto de outra paciente contou, entre assustado e magoado, o choque ao ter passado pela porta entreaberta do quarto onde a avó estava hospitalizada e visto seu corpo inerte ser manuseado pela equipe. "Minha avó não ficava nua nem na frente do meu avô. Morria de vergonha, não mostrava nem os joelhos. Vê-la daquele jeito, tão exposta, mesmo sabendo que ela já não estava mais ali, cortou meu coração." A filha de um senhor judeu mostrou-se desrespeitada e ofendida quando, pouco após o falecimento do pai, ela entrou no quarto e presenciou a equipe retirando todos os dispositivos do corpo dele (cateteres, sondas, etc.) e iniciando o tamponamento (no judaísmo, esses procedimentos não são permitidos). São muitos os exemplos dessa falta de atenção aos detalhes, da adoção de protocolos institucionais pouco individualizados e da escassez de empatia.

O mesmo nível de dedicação aos detalhes que permeou o cuidado durante a vida precisa ser mantido em torno do corpo após a morte. O mesmo zelo com as palavras, a mesma dedicação com as atitudes, a mesma atenção com os detalhes. O corpo não tem mais a vida pulsando nele, mas a vida continua pulsando no coração de quem amava a pessoa. O corpo precisa ser tratado com sacralidade. Trata-se da reverência pela vida que se foi, com todo o amor e respeito que ela merece.

O QUE VEM DA ALMA

Todas as frases do livro da vida, se lidas até o fim,
terminam numa interrogação.
Fernando Pessoa

A morte precipita reações emocionais e psicológicas mais intensas, sobretudo quando ela acontece de súbito, como num acidente ou infarto fulminante.

Quando estamos falando de uma morte que decorre de um lento processo de adoecimento – como é em geral o caso do câncer –, talvez não tenhamos a mesma intensidade e transbordamento de sentimentos, mas estão ali as mesmas forças emocionais, espirituais e mentais, esperando o momento para emergir. Preparar-se para a morte de alguém pode afetar a forma que a vivenciamos, mas aquelas forças que permanecem latentes precisam ser levadas em conta. Dentro dos hospitais, onde o convívio com a morte é frequente e próximo, o fim da vida de um paciente com câncer avançado é encarado de outra forma, como um "desfecho esperado", e reações intensas dos familiares são às vezes estigmatizadas como dramáticas ou motivadas por remorso. A verdade é que as reações humanas à morte são imprevisíveis e pouco têm de lógicas. Não são regidas por um fluxograma bem desenhado, em que uma morte anunciada e esperada gera reações tranquilas, sensatas e comedidas. Embora os profissionais da saúde demonstrem grande familiaridade com todo o entorno do óbito e tenham em geral desenvolvido mecanismos psicológicos diversos para lidar com isso, a morte é experiência nova e desafiadora para a maior parte dos familiares. A reação a ela vem não do cérebro humano, mas da alma animal.

Diante da morte, muitos de nós precisamos de tempo. Após o último suspiro, a transição para o novo estado de ausência de vida é relativamente súbita. Num átimo, não há mais ruídos, não há movimento, a pele empalidece, os lábios se tornam arroxeados. Alguns têm a sensação de que o mundo parou de girar por alguns instantes, mantendo a vida em suspenso. São esses os momentos que determinam os próximos. É nesse espaço de tempo um tanto surreal que as almas falam, e delas vem o choro incontido, a reação desesperada, a serenidade profunda, as lágrimas de alívio, o sorriso de gratidão, a fúria revoltada, a indiferença inesperada. Às vezes, em minutos, as reações mais intensas se apaziguam, dando lugar à sensatez e à racionalidade. Ninguém sabe o que vai na alma do outro. É importante que a equipe de saúde se lembre disso e respeite aquele tempo tão necessário e tão individual, garantindo a privacidade e o silêncio. Sem julgamentos, sem contenções e, sobretudo, sem pressa. Embora as rotinas de um hospital precisem ser cumpridas com certa celeridade, não há nenhum motivo técnico para que corram a preparar o corpo e encaminhá-lo ao morgue. A pressa vem das questões logísticas e administrativas que envolvem a morte de alguém. Sempre que possível, vale a pena um esforço conjunto para que o tempo de despedida seja preservado. Os momentos que se seguem à morte costumam ser carregados de certa incredulidade, de incerteza sobre o que aconteceu. Tais sensações podem ser manejadas por meio desse tempo valioso, no qual a família verbaliza a despedida, telefona para avisar outras pessoas, toca o corpo daquele que se foi. A alma também precisa se despedir.

O LUTO

O silêncio vale ouro quando não se consegue achar uma boa resposta.
Muhammad Ali

"A morte pode ser feia, e os familiares e amigos que ficam têm sede de beleza. Uma boa morte é julgada não apenas pela paz e conforto de quem morre, mas também pelas memórias que habitam, ou que mais tarde assombram, aqueles que sobrevivem a ela." Assim Katy Butler descreve o impacto que o morrer tem sobre o processo do luto.[84] Para cada um de nós, o luto é uma experiência íntima e intransferível. Não existe manual, diretriz nem normatização de como deve ser o processo da perda, e está claro que não há processos certos nem errados. Pode ser confuso e inquietante, muitíssimo estressante ou surpreendentemente sereno. Pode vir atrelado a dúvidas e angústias – ou trazer grande alívio ao coração. Pode ser doloroso como uma ferida que não cicatriza – ou libertador como a brisa do mar. Pode, também, trazer tudo isso junto, em momentos e intensidades diferentes. O que não muda no luto é a necessidade de tempo, paciência e respeito pelo processo individual.

O luto tem um tempo próprio, que não guarda nenhuma relação com o que esperam dele. Às vezes é curto; em outras, eterno. Às vezes começa só meses depois da morte. Pode resultar de várias perdas acumuladas, que aquela morte específica simplesmente fez transbordar. O processo é único e impossível de julgar. Ele existe para ser acolhido. E é com certo pesar que ouvimos familiares enlutados de pacientes de câncer contarem quanto precisaram ouvir frases que fizeram o oposto de acolher.

"Mas você já estava esperando por isso, não? Ela estava sofrendo."

"Que bom que foi tudo rápido – o sofrimento foi menor."

"Foi melhor assim, né? Agora você pode reorganizar a sua vida."

"Mas já se passaram meses! Está na hora de você seguir em frente!"

"Imagino que perder sua mãe foi difícil, mas não se compara com a dor de perder um filho, como perdi."

"Puxa, mas já descobriram tantos tratamentos novos para o câncer! Não tinha nada mesmo que pudesse curá-lo?"

"Bom, agora é bola pra frente. Por falar em bola, esse domingo tem futebol lá em casa. Espero você lá, hein?"

Contudo, por mais que a forma de as pessoas reagirem ao luto pareça cruel ou insensível, a verdade é que poucos de nós ficam à vontade quando lidam com um enlutado, em especial depois do processo complexo do câncer. Tentamos oferecer apoio com base no que acreditamos ser adequado para nós mesmos, no que talvez gostaríamos de ouvir. A questão é que o luto não é sobre nós, é sobre o outro. Um bom apoio depende da capacidade de retirarmos nossas lentes para adotar as lentes alheias. Estamos diante de momentos de grande solidão, de grande vazio, de grande perda, e eles parecem infinitos para quem está de luto. O luto desorganiza os pensamentos, dificulta a expressão, obstrui o planejamento, confunde as percepções. O afeto que vem das pessoas ao redor é a rede de proteção que mantém o mundo menos caótico. Embora não exista cartilha que desenhe a maneira mais adequada de expressar esse afeto, algumas orientações são válidas para aumentar a eficácia do apoio e evitar sofrimento adicional ao enlutado.

Talvez a atitude mais efetiva seja se mostrar disponível e conectado. Oferecer seu tempo, emprestar um livro, providenciar comida, ajudar em tarefas rotineiras ou qualquer outra iniciativa, sem a expectativa de receber resposta ou demonstrações de gratidão. Basta que a pessoa saiba que você está ali se precisar. A legitimação da dor do outro também é essencial. Cada dor é única, e não se deve julgar a forma de vivenciar a perda nem compará-la com nenhuma outra dor. A pessoa em luto pode estar sentindo-se extremamente fragilizada e exposta, e com certeza não precisa que lhe digam se seu sofrimento está de acordo com o que se espera para aquela situação. Escute sem julgar, acolha sem dimensionar. A presença é parte importante da rede de apoio, mas ela não deve ser opressiva nem excessiva. O luto exige tempo, inclusive um tempo de solidão, de privacidade. É preciso reorganizar ideias e sentimentos aos poucos, e isso poderá ficar dificultado se houver demanda constante de alguém falando, perguntando, oferecendo, enviando mensagens, aconselhando, sufocando. O apoio não precisa ser invasivo, apenas incondicional. Ouvidos se houver necessidade de falar, mãos se houver necessidade de carinho, ombro se houver necessidade de choro, silêncio se for preciso pensar. Lidar com o luto do outro é, essencialmente, permitir que ele vivencie o processo contando com você.

"SONETO DE MAIO"[85] (DE ROLDÃO MENDES ROSA)

Quem te escuta navega de olhos cegos
velhos mares há muito navegados
e surpreende-se em terras sem memória
lavrando chãos há muito já lavrados.

A quem te se segue faz-se puro o tempo
que de impuro se fez quando passado,
faz-se de lua a noite que era escura
e o dia sem ventura, aventurado.

Pensar em ti é desejar-te sempre
sem a saudade que amargura a alma
ou a incerteza que amargura a espera.

Estar contigo é não saber que há morte,
é ver que o tempo as árvores desfolha
e outono em ti rescende a primavera.

Epílogo

O tempo pode ser medido com as batidas de um relógio
ou pode ser medido com as batidas do coração.
Rubem Alves

Este livro foi escrito pensando na vivência tanto dos pacientes com diagnóstico de câncer como de suas famílias e amigos. Foi escrito também pensando em quanto a medicina acelerada dos tempos atuais dificulta às vezes a vida dos envolvidos. Há inúmeras situações em que as necessidades deles não são nem percebidas, quanto mais supridas. Em duas décadas lidando com pacientes oncológicos, derramaram-se à minha frente inúmeras situações desse tipo. Diante de muitas, eu não tinha ideia do que precisava ser feito. Para outras, oferecia soluções extraídas de livros e artigos científicos que mais atrapalhavam do que beneficiavam aquelas pessoas. Em outras situações ainda, o caminho era muito mais da família e da própria pessoa doente do que meu, e eu me via perdida em meio a tudo aquilo.

Com os anos, foi ficando claro que a abordagem dos pacientes oncológicos precisava encontrar uma alternativa, em especial para aqueles que têm a doença em estágios avançados e precisarão lidar com ela até o fim da vida. Esse olhar singular se traduz na prática da *slow oncology*, a oncologia sem pressa.

Nestas páginas, traçaram-se caminhos possíveis para que a vivência de um diagnóstico de câncer seja menos dolorosa e traumática. Os princípios que regem uma oncologia mais sóbria, respeitosa e justa permeiam todos os capítulos do livro. Por meio deles, espero ter contribuído para que as situações desafiadoras que o câncer impõe sejam abordadas com menos ansiedade e mais cautela, menos preconceito e mais acolhimento, menos angústia e mais coragem. Quando o câncer é compreendido como responsabilidade de todos, quando seu peso é carregado por muitos braços, quando ele deixa de ser apenas uma doença para se tornar experiência compartilhada, a neblina se dissipa e a vida reaparece no horizonte.

Espero que eu tenha ajudado profissionais da saúde a enxergar um caminho mais sensato e menos atrelado ao excesso de tecnologia que costuma sufocar a relação deles com as pessoas que estão a seus cuidados. Que, antes de se deixarem envolver pelo turbilhão de informações, metodologias e rotinas que lhes são impostas, eles possam fazer uma pausa, permitindo-se reconhecer no paciente um parceiro a quem estender a mão. Que possam vislumbrar alternativas menos agressivas sempre que possível e se permitam aceitar quando a ciência não é mais tão importante quanto as mãos que acolhem. Sobretudo, que compreendam o tamanho da responsabilidade moral que têm na vida dessas pessoas e quão sagrado é o papel deles na história humana.

Quanto àqueles que são parte da rede de apoio de pessoas com câncer – familiares, amigos, membros de suas comunidades –, que possam encontrar aqui formas de compreender a doença e exercer seu papel crucial no enfrentamento a ela: o de estarem presentes, alertas e dispostos. Que possam, se for preciso, proteger os interesses e a dignidade dessas pessoas sem ter medo de duvidar, de perguntar, de buscar alternativas que estejam mais alinhadas com as expectativas delas. Que se permitam, ainda, espaço para cuidar de si próprios para que sejam capazes de apoiar os outros.

Àqueles que precisam, precisaram ou precisarão lidar com o câncer, espero que estas páginas possibilitem uma visão mais honesta e lúcida do desafio que lhes foi imposto. Que vejam a doença como apenas uma parte – ainda que parte importante e onipresente – da história deles. A doença não tem o poder de anular quem são. Que possam ver a si mesmos como protagonistas da própria vida, com o direito (e até o dever) de participar das decisões. Que exijam respeito, empatia, honestidade, acolhimento. Que possam se ver fortalecidos, ainda que fragilizados. Principalmente, que não percam sua voz, ainda que em silêncio.

Notas bibliográficas

1. Bakitas, M. *et al.* "Early versus delayed initiation of concurrent palliative oncology care: patient outcomes in the ENABLE III randomized controlled trial". *Journal of Clinical Oncology*, v. 33, n. 13, 2015, p. 1438-45.
2. Doyle, D. *Bilhete de plataforma – Vivências em cuidados paliativos*. 2. ed. Trad. Marco Tullio de Assis Figueiredo e Maria das Graças Mota Cruz de Assis Figueiredo. São Caetano do Sul: Difusão, 2012.
3. Fung, H.; Carstensen, L.; Lutz, A. "Influence of time on social preferences: implications for life-span development". *Psychology and Aging*, v. 14, n. 4, 1999, p. 595-604.
4. Fredrickson, B.; Carstensen, L. "Choosing social partners: how old age and anticipated endings make people more selective". *Psychology and Aging*, v. 5, n. 3, 1990, p. 335-47.
5. Coradazzi, A.; Caponero, R. *Pancadas na cabeça – As dificuldades na formação e na prática da medicina*. São Paulo: MG Editores, 2018.
6. Hebb, M. *Let's talk about death over dinner*. Londres: Orion, 2018.
7. Impermanence. Death Cafe. Disponível em: <https://deathcafe.com/>. Acesso em: 22 jun. 2021.
8. Sandberg, S.; Grant, A. *Plano B – Como encarar adversidades, desenvolver resiliência e encontrar felicidade*. Trad. André Fontenelle e Rogerio W. Galindo. São Paulo: Fontanar, 2017.
9. Soares, A. M. *Enquanto eu respirar*. Rio de Janeiro: Sextante, 2019.
10. Miller, L.; Berg, J.; Archer, R. "Openers: individuals who elicit intimate self-disclosure". *Journal of Personality and Social Psychology*, v. 44, n. 6, 1983, p. 1234-44.
11. Seligman, M. *Florescer – Uma nova compreensão sobre a natureza da felicidade e do bem-estar*. Trad. Cristina Paixão Lopes. Rio de Janeiro: Objetiva, 2011.
12. Seligman, M. *Learned optimism – How to change your mind and your life*. Nova York: Pocket Books, 1991.
13. Harari, Y. N. *Sapiens – Uma breve história da humanidade*. Trad. Janaína Marcoantonio. 38. ed. Porto Alegre: L&PM, 2018.
14. Esserman, L. *et al.* "Addressing overdiagnosis and overtreatment in cancer: a prescription for change". *Lancet Oncology*, v. 15, n. 6, 2014, e-234-42.
15. Prasad, V. *Malignant – How bad policy and bad evidence harm people with cancer*. Baltimore: Johns Hopkins University Press, 2020.
16. Fojo, T.; Mailankody, S.; Lo, A. "Unintended consequences of expensive cancer therapeutics: the pursuit of marginal indications and a me-too mentality that stifles innovation and creativity: the John Conley Lecture". *Jama Otolaryngology – Head & Neck Surgery*, v. 140, n. 12, 2014, p. 1225-36.
17. Kovic, B.; Jin, X.; Kennedy, S. "Evaluating progression-free-survival as a surrogate outcome for health-related quality of life in oncology: a systematic review and quantitative analysis". *Jama Internal Medicine*, v. 178, n. 12, dez. 2018, p. 1586-96.
18. Gyawali, B.; Hwang, T. "Prevalence of quality of life (QoL) outcomes and association with survival in cancer clinical trials". *Journal of Clinical Oncology*, v. 36, n. 15, supl., maio 2018, p. 6573.
19. Ellis, L.; Bernstein, D.; Voest, E. "American Society of Clinical Oncology perspective: raising the bar for clinical trials by defining clinically meaningful outcomes". *Journal of Clinical Oncology*, v. 32, n. 12, 2014, p. 1277-80.
20. Bakitas *et al., op. cit.*
21. Easson, E.; Russell, M. "Cure of Hodgkin's disease". *British Medical Journal*, v. 1, n. 5347, 1963, p. 1704-7.

22. Saposnik, G.; Redelmeier, D.; Tobler, P. "Cognitive bias associated with medical decisions: a systematic review". *BMC Medical Informatics and Decision Making*, v. 16, 2016, p. 138.
23. Vera-Badillo, F. *et al.* "Bias in reporting of endpoints of efficacy and toxicity in randomized, clinical trials for women with breast cancer". *Annals of Oncology*, v. 24, n. 5, 2013, p. 1238-44.
24. Silk, S.; Goldman, B. "How not to say the wrong things". *Los Angeles Times*, 7 abr. 2013. Disponível em: <https://www.latimes.com/opinion/op-ed/la-xpm-2013-apr-07-la-oe-0407-silk-ring-theory-20130407-story.html>. Acesso em: 30 jun. 2021.
25. McCullough, *op. cit.*
26. Silva, F. *et al.* "Hospitalizations and length of stay of cancer patients: a cohort study in the Brazilian Public Health System". *PLoS One*, 20 maio 2020. Disponível em: <https://doi.org/10.1371/journal.pone.0233293>. Acesso em: 30 jun. 2021.
27. McCullough, *op. cit.*
28. Nook, E. *et al.* "Prosocial conformity: prosocial norms generalize across behavior and empathy". *Personality and Social Psychology Bulletin*, v. 42, n. 8, 2016, p. 1045-62.
29. McCullough, *op. cit.*
30. Silva *et al.*, *op. cit.*
31. Sandberg e Grant, *op. cit.*
32. Butler, K. *The art of dying well – A practical guide to a good end of life.* Nova York: Scribner, 2019.
33. Gawande, A. *Mortais – Nós, a medicina e o que realmente importa no final.* Trad. Renata Telles. Rio de Janeiro: Objetiva, 2014.
34. Rubin, E.; Buehler, A.; Halpern, S. "States worse than death among hospitalized patients with serious illnesses". *Jama Internal Medicine*, v. 176, n. 10, 2016, p. 1557-59.
35. Gawande, *op. cit.*
36. Batthyány, A. "'Otimismo trágico', a ferramenta psicológica criada para tempos difíceis". *El País*, 30 dez. 2020. Disponível em: <https://brasil.elpais.com/cultura/2020-12-30/otimismo-tragico-a-ferramenta-psicologica-criada-para-tempos-dificeis.html>. Acesso em: 30 jun. 2021.
37. Butler, K. *Knocking on heaven's door – The path to a better way of death.* Nova York: Scribner, 2013.
38. Código De Ética Médica, Resolução do Conselho Federal de Medicina n. 2.217/2018.
39. Gallagher, C.; Bennett, A.; Weber, E. "Medical futility in cancer care: distinct challenges and action strategies". *Clinical Research & Bioethics*, v. 7, n. 2, 2016, p. 1-6.
40. Gallagher, C.; Holmes, R. "Handling cases of 'medical futility'". *HEC Forum*, v. 24, 2012, p. 91-98.
41. Sudore, R. *et al.* "Defining advance care planning for adults: a consensus definition from a multidisciplinary Delphi panel". *Journal of Pain and Symptom Management*, v. 53, n. 5, 2017, p. 821.
42. Dadalto, L. *Testamento vital.* 2. ed. Rio de Janeiro: Foco, 2013.
43. Coradazzi, A.; Santana, M.; Caponero, R. *Cuidados paliativos – Diretrizes para melhores práticas.* São Paulo: MG Editores, 2019.
44. Coradazzi, Santana e Caponero, *Cuidados paliativos*, *op. cit.*
45. Chehuen Neto, J. *et al.* "Testamento vital: o que pensam os profissionais de saúde?" *Revista de Bioética*, v. 23, n. 3, 2015, p. 572-82.
46. Coradazzi, Santana e Caponero, *op. cit.*
47. *Ibidem.*
48. Coradazzi, A. "Diretivas antecipadas de vontade: bem mais que uma lista de desejos finais", 7 maio 2018. Disponível em: <https://www.slowmedicine.com.br/diretivas-antecipadas-de-vontade-bem-mais-que-uma-lista-de-desejos-finais/>. Acesso em: 5 jul. 2021.
49. McCullough, *op. cit.*
50. Soares, *op. cit.*
51. McCullough, *op. cit.*
52. Coradazzi, Santana e Caponero, *op. cit.*
53. Sweet, V. *God's Hotel – A doctor, a hospital, and a pilgrimage to the heart of medicine.* Nova York: Riverhead, 2012.
54. Sweet, V. *Slow medicine – The way to healing.* Nova York: Riverhead, 2017.
55. *Ibidem.*
56. McCullough, *op. cit.*

57. CORADAZZI, A. *O médico e o rio – Histórias, experiências e lições de vida*. São Paulo: MG Editores, 2020.
58. "A reza", texto originariamente publicado em CORADAZZI, *O médico e o rio*, *op. cit.*
59. WARE, B. *Antes de partir – Os cinco principais arrependimentos que as pessoas têm antes de morrer*. Trad. Chico Lopes. São Paulo: Geração, 2017.
60. CORADAZZI, A. "*Slow medicine* e espiritualidade", 15 mar. 2021. Disponível em: <https://www.slowmedicine.com.br/slow-medicine-e-espiritualidade/>. Acesso em: 10 jul. 2021.
61. GAWANDE, A. "The best possible day". *The New York Times*, 5 out. 2014. Disponível em: <https://www.nytimes.com/2014/10/05/opinion/sunday/the-best-possible-day.html?_r=0>. Acesso em: 10 jul. 2021.
62. HUI, D. *et al.* "Concepts and definitions for 'actively dying,' 'end of life,' 'terminally ill,' 'terminal care,' and 'transition of care': a systematic review". *Journal of Pain and Symptom Management*, v. 47, n. 1, 2014, p. 77-89.
63. VAN DER HEIDE, A. *et al.* "End-of-life decision making for cancer patients in different clinical settings and the impact of the LCP". *Journal of Pain and Symptom Management*, v. 39, n. 1, 2010, p. 33-43.
64. MCCULLOUGH, *op. cit.*
65. ASTROW, A. "Beyond a child's question: physicians and the existential unknown in end-of-life care". *Journal of Clinical Oncology*, v. 39, n. 8, 2021, p. 940-43.
66. BUTLER, *op. cit.*
67. *Ibidem.*
68. HUI, D. *et al.* "Clinical signs of impending death in cancer patients". *The Oncologist*, v. 19, 2014, p. 681-87.
69. CORADAZZI, SANTANA E CAPONERO, *op. cit.*
70. CASTRO, M. "Intervenções de enfermagem para pacientes oncológicos com odor fétido em ferida tumoral". *Aquichán*, v. 17, n. 3, 2017.
71. COHEN, M. *et al.* "The meaning of parenteral hydration to family caregivers and patients with advanced cancer receiving hospice care". *Journal of Pain and Symptom Management*, v. 43, n. 5, 2012, p. 855-65.
72. ARENDS, J. *et al.* "ESPEN guidelines on nutrition in cancer patients". *Clinical Nutrition*, v. 36, 2017, p. 11-48.
73. BORUM, M. *et al.* "The effect of nutritional supplementation on survival in seriously ill hospitalized adults: an evaluation of the SUPPORT data". *Journal of the American Geriatrics Society*. v. 48 (supl. 5), 2000, p. 33-8.
74. GOOD, P. *et al.* "Medically assisted nutrition for adult palliative care patients". *Cochrane Database of Systematic Reviews*, v. 23, n. 4, 2014.
75. MEIER, E. *et al.* "Defining a good death (successful dying): literature review and a call for research and public dialogue". *American Journal of Geriatric Psychiatry*, v. 24, 2016, p. 261-71.
76. EMMANUEL, E.; EMMANUEL, L. "The promise of a good death". *Lancet*, v. 351, 1998, p. 21-29.
77. CORADAZZI, SANTANA E CAPONERO, *op. cit.*
78. MALTONI, M.; SCARPI, E.; ROSATI, M. "Palliative sedation in end-of-life care and survival: a systematic review". *Journal of Clinical Oncology*, v. 30, 2012, p. 1378-83.
79. BELLER, E.; VAN DRIEL, M.; MCGREGOR, L. "Palliative pharmacological sedation for terminally ill adults". *Cochrane Database of Systematic Reviews*, v. 6, 2015.
80. CORADAZZI, SANTANA E CAPONERO, *op. cit.*
81. MILLER, J. *The caregiver's book – Caring for another, caring for yourself.* Fort Wayne: Willowgreen, 2008.
82. BUTLER, *The art of dying well*, *op. cit.*
83. *Ibidem.*
84. *Ibidem.*
85. MENDES ROSA, R. "Soneto de maio". In: *Poemas do não e da noite*. Santos: Hucitec/Secretaria de Cultura da Prefeitura Municipal de Santos, 1992.

Agradecimentos

As pessoas que contribuíram para este livro foram muitas. Contribuíram com suas histórias, com ideias, com pensamentos, com sugestões, com críticas. Muitas foram inspiração, outras foram provocação, e algumas ainda foram direção quando eu me vi perdida. Todas, sem exceção, foram o apoio e a energia de que precisei.

Agradeço ao Fábio, meu marido, e à Mariana e à Lorena, minhas filhas lindas, pela paciência e torcida. Aos pacientes e suas famílias, que inundam minha vida com sua generosidade, parceria, confiança e fé. E às equipes com as quais tive a honra e a alegria de trabalhar nesses últimos anos, tanto no Hospital Alemão Oswaldo Cruz quanto na Faculdade de Medicina de Botucatu – Unesp: vocês sempre me obrigam a ser melhor do que eu pensava que poderia ser.

Agradeço, com todo o meu amor, à Patrícia Alves, a mais "fiel escudeira" que eu poderia ter, e à Juliana Victor, pela parceria de tantos anos.

E agradeço infinitamente à minha segunda família, criada dentro do movimento Slow Medicine Brasil e expandida para águas internacionais, com a qual encontrei a sensação de pertencimento que tanto me faltava: José Carlos Campos Velho, Lívia Callegari, Vera Bifulco, Andrea Bottoni, Andréa Prates, Régis Vieira, Jaqueline Doring, Dario Birolini, Antônio Pessanha Henriques Junior, Suzana Vieira, Carla Rosane Couto, Rafael Thomazi, Afonso Carlos Neves, Flávia Aires, Daniel Felgueiras Rolo, Ana Maio, Marco Bobbio, Ladd Bauer (*in memorian*), Yung Lie, Bèatrice Dussaud, e todos os outros que contribuem para divulgar os conceitos e princípios *slow*. Mais do que isso: que adotam esses princípios em sua prática e, assim, acabam "contaminando" todos ao seu redor.

www.gruposummus.com.br